JARDIN DES
HERBES
AROMATIQUES

BUREAU DU
RECTEUR

TOUR
DU NORD

RÉFECTOIRE

AMPHITHÉÂTRE

RAXFORD

ESCALIER
DES CARTES
GÉOGRAPHIE

Ce livre
appartient à:

Bienvenue
dans le monde des

Téa Sisters

Salut, c'est Téa !

Oui, Téa Stilton, la sœur de *Geronimo Stilton* ! Je suis envoyée spéciale de *l'Écho du rongeur*, le journal le plus célèbre de l'île des Souris. J'adore les voyages et l'aventure, et j'aime rencontrer des gens du monde entier !

C'est à Raxford, le collège dont je suis diplômée et où l'on m'a invitée à donner des cours, que j'ai rencontré cinq filles très spéciales : Colette, Nicky, Paméla, Paulina et Violet. Dès le premier instant, elles se sont liées d'une véritable amitié. Et elles ont tant d'affection pour moi qu'elles ont décidé de baptiser leur groupe de mon nom : Téa Sisters (en anglais, cela signifie les « Sœurs Téa ») ! Ce fut une grande émotion pour moi. Et c'est pour ça que j'ai décidé de raconter leurs aventures. Les assourissantes aventures des…

Prénom : Nicky
Surnom : Nic
Origine : Océanie (Australie)
Rêve : s'occuper d'écologie !
Passions : les grands espaces et la nature !
Qualités : elle est toujours de bonne humeur…
Il suffit qu'elle soit en plein air !
Défauts : elle ne tient pas en place !
Secret : elle est claustrophobe,
elle ne supporte pas d'être
dans un espace clos !

Nicky

Nicky

Colette

Prénom : Colette
Surnom : Coco
Origine : Europe (France)
Rêve : elle fait très attention à son look. D'ailleurs, son grand rêve, c'est de devenir journaliste de mode !
Passions : elle a une vraie passion pour la couleur rose !
Qualités : elle est très entreprenante et aime aider les autres !
Défauts : elle est toujours en retard !
Secret : pour se détendre, il lui suffit de se faire un shampoing et un brushing, ou bien d'aller passer un moment chez la manucure !

Colette

Prénom : Violet
Surnom : Vivi
Origine : Asie (Chine)

Violet

Violet

Rêve : devenir une grande violoniste !

Passions : étudier. C'est une véritable intellectuelle !

Qualités : elle est très précise et aime toujours découvrir de nouvelles choses.

Défauts : elle est un peu susceptible et ne supporte pas qu'on se moque d'elle. Quand elle n'a pas assez dormi, elle n'arrive plus à se concentrer !

Secret : pour se détendre, elle écoute de la musique classique et boit du thé vert parfumé aux fruits.

Prénom : Paulina
Surnom : Pilla
Origine : Amérique du Sud (Pérou)
Rêve : devenir scientifique !
Passions : elle aime voyager et rencontrer des gens de tous les pays. Elle adore sa petite sœur Maria.
Qualités : elle est très altruiste !
Défauts : elle est un peu timide… et un peu brouillonne.
Secret : les ordinateurs n'ont pas de secret pour elle. Elle est capable de résoudre des énigmes très compliquées en récoltant mille informations sur Internet !

PAULINA

Prénom : Paméla

Surnom : Pam

Origine : Afrique (Tanzanie)

Rêve : devenir journaliste sportive ou mécanicienne automobile !

Passions : la pizza, la pizza et encore la pizza ! Elle en mangerait même au petit déjeuner !

Qualités : elle a beau avoir des manières un peu brusques, elle est la pacifiste du groupe ! Elle ne supporte ni les disputes ni les discussions.

Défauts : elle est très impulsive !

Secret : donnez-lui un tournevis et une clef anglaise, et elle résoudra tous vos problèmes de mécanique !

Paméla

VEUX-TU ÊTRE UNE TÉA SISTER ?

Prénom : _ _ _ _ _ _ _ _ _

Surnom : _ _ _ _ _ _ _ _ _

Origine : _ _ _ _ _ _ _ _ _ _ _ _ _ _ _ _ _ _ _

Rêve : _ _ _ _ _ _ _ _ _ _ _ _ _ _ _ _
_ _
_ _

Passions : _ _ _ _ _ _ _ _ _ _ _ _ _ _ _ _

Qualités : _ _ _ _ _ _ _ _ _ _ _ _ _ _ _ _ _
_ _

Défauts : _ _ _ _ _ _ _ _ _ _ _ _ _ _ _ _ _

Secret : _ _ _ _ _ _ _ _ _ _ _ _ _ _ _ _ _ _
_ _

COLLE ICI
TA PHOTO !

Texte de Téa Stilton.
*Basé sur une idée originale d'*Elisabetta Dami.
Coordination des textes de Sarah Rossi *(Atlantyca S.p.A.)*.
Coordination éditoriale de Patrizia Puricelli *et* Serena Bellani.
Coordination artistique de Flavio Ferron.
Édition de Katja Centomo *et* Francesco Artibani *(Red Whale)*.
Direction éditoriale de Flavia Barelli *et* Mariantonia Cambareri.
Supervision des textes de Flavia Barelli.
Sujet de Francesco Artibani *et* Flavia Barelli.
Graphisme de référence de Manuela Razzi.
Illustrations de Alessandro Battan, Elisa Falcone, Claudia Forcelloni, Michela Frare, Daniela Geremia, Roberta Pierpaoli, Arianna Rea, Maurizio Roggerone *et* Roberta Tedeschi.
Couleurs de Tania Boccalini, Alessandra Bracaglia, Ketty Formaggio, Elena Sanjust *et* Micaela Tangorra.
Graphisme de Paola Cantoni.
Avec la collaboration de Yuko Egusa.
Traduction de Lili Plumedesouris.

www.geronimostilton.com

Pour l'édition originale :
© 2009, Edizioni Piemme S.p.A. – Corso Como, 15 – 20154 Milan, Italie
sous le titre *Il mistero della bambola nera*.
International rights © Atlantyca S.p.A. – Via Leopardi, 8 – 20123 Milan, Italie – www.atlantyca.com
contact : foreignrights@atlantyca.it
Pour l'édition française :
© 2010, Albin Michel Jeunesse – 22, rue Huyghens, 75014 Paris
www.albin-michel.fr
Loi n° 49-956 du 16 juillet 1949 sur les publications destinées à la jeunesse
Dépôt légal : second semestre 2010
N° d'édition : 19238/6
Isbn-13 : 978 2 226 20947 4
Imprimé en France par Pollina S.A. en novembre 2013 - L66681B

LE SECRET
DES MARIONNETTES
JAPONAISES

ALBIN MICHEL JEUNESSE

Salut les amis !

VOUS AUSSI, VOUS VOULEZ
AIDER LES TÉA SISTERS
À RÉSOUDRE LE MYSTÈRE
DES MARIONNETTES JAPONAISES ?
CE N'EST PAS DIFFICILE.
IL SUFFIT DE SUIVRE
MES INDICATIONS ! 
QUAND VOUS VERREZ
CETTE LOUPE, SOYEZ
TRÈS ATTENTIFS :
CELA SIGNIFIE
QU'UN INDICE IMPORTANT
EST DISSIMULÉ DANS LA PAGE.
DE TEMPS EN TEMPS, NOUS
FERONS LE POINT, DE MANIÈRE
À NE RIEN OUBLIER.
ALORS, VOUS ÊTES PRÊTS ?
LE MYSTÈRE VOUS ATTEND !

UN CADEAU
SPÉCIAL

Depuis le début de la matinée, je tournais en rond, ne cessant d'*ALLER* et *VENIR* dans mon appartement.

J'attendais un colis très important, et le facteur était en retard !

Je suis l'envoyée spéciale de *l'Écho du rongeur* et je suis sans cesse en voyage pour mon travail, toujours prête à partir pour de nouvelles **AVENTURES**... mais attendre n'a jamais été mon fort !

Enfin, une éternité plus tard, Porphyre arriva. C'est le facteur, qui souvent m'apporte des nouvelles de mes amies les Téa Sisters.

Depuis que nous nous sommes rencontrées à mon cours de journalisme d'aventure, Colette, Paméla, Nicky, Violet et PAULINA ont décidé de se baptiser les « Téa Sisters », en l'honneur de notre amitié.

Quant à moi, je suis fière d'elles !

Je courus dans l'entrée et ouvris la porte en grand, à l'instant même où Porphyre allait poser la patte sur la sonnette.

– Enfin !!! m'exclamai-je, rayonnante.

Le pauvre en **sursauta** de surprise et bal-
butia :

– M-Mademoiselle Téa, je v-viens vous remettre…

– Un paquet, je sais, je sais ! l'interrompis-je avec
impatience.

Porphyre parut stupéfait.

– Oui, mais ce que vous ne savez sûrement pas,
c'est qu'il arrive directement du…

– Du JAPON, je sais !

Et j'ajoutai, pour ~~COUPER~~ court :

– Je sais même ce qu'il y a dedans…

Le **Japon** est un pays constitué d'un grand nombre d'îles, certaines assez grandes, d'autres très petites, disposées en arc à l'est du continent asiatique. **Tokyo**, la capitale, est située sur la plus grande île de l'archipel. La population du Japon dépasse les 120 millions d'habitants, dont 12 millions pour la seule Tokyo ! Le pays est riche en merveilles naturelles telles que forêts, montagnes, lacs et volcans, et il est divisé en 8 régions : au Nord, l'île de **Hokkaido** puis, en descendant vers le Sud, on trouve **Tohoku**, **Kanto**, **Chubu**, **Kansai**, **Chugoku**, **Shikoku** et **Kyushu**.

Les filles, en effet, m'avaient avertie de l'arrivée d'un ⒸⒶⒹⒺⒶⓊ spécial, et elles m'attendaient toutes les cinq pour une grande *fête* d'été au Japon !

J'avais hâte de les serrer dans mes bras, et je congédiai un peu prestement ce pauvre Porphyre, attrapai avec **furie** ma valise déjà prête et me précipitai à l'aéroport.

Que contenait donc ce paquet ?

Pour le savoir, vous allez devoir lire cette nouvelle et enthousiasmante aventure des Téa Sisters !

Tout avait commencé lors d'un voyage spécial organisé par le collège de RAXFORD...

JAPON, NOUS VOILÀ !

Par une lumineuse journée de mai, un avion en provenance de l'île des Souris sillonnait le ciel bleu du Japon.

Le collège de Raxford avait organisé en effet un ÉCHANGE culturel avec le célèbre collège Yoshimune de Kyoto et les cinq Téa Sisters s'étaient aussitôt déclarées volontaires pour se joindre au groupe en *PARTANCE*.

Les étudiants de Raxford avaient préparé ce voyage pendant des mois et leurs yeux *brillaient* d'enthousiasme.

Après quelques escales, ils atterrirent à l'aéroport d'Osaka, d'où ils devaient rallier Kyoto, une des plus *anciennes* villes du Japon.

– Ces trois mois vont être fantasouristiques ! s'exclama Pam en descendant les marches de la passerelle de l'avion.

– Je rêve depuis si longtemps de visiter ce pays ! fit Nicky juste derrière elle, comme en écho.

Paulina les SUIVAIT, lisant d'un air soucieux le guide des Souris Bleues* sur le Japon.

– Oui, mais il va falloir vraiment travailler ! Suivre les cours exactement comme les étudiants japonais…

* L'association écologiste dont les Téa Sisters font partie.

KYOTO

Région : Kansai (aussi appelée Kinki).

Préfecture : Kyoto.

Population : supérieure à 1 400 000 habitants.

Les trésors de l'architecture de Kyoto sont célèbres dans le monde entier et certains ont été inscrits sur la liste du patrimoine mondial de l'UNESCO, l'Organisation des Nations unies pour l'Éducation, la Science et la Culture.

KYOTO

MERVEILLES DU PASSÉ...

Nijo-jo (château de Nijo)

Construit autour des années 1600, ce palais est un magnifique exemple de l'architecture japonaise traditionnelle. Les nombreux incendies ont entraîné sa refonte partielle, mais on peut encore y admirer les boiseries travaillées et les portes peintes coulissantes, caractéristiques.

Kinkakuji (le Pavillon d'or)

Sa construction date de la fin du XIVe siècle. Ses formes se reflètent dans les eaux d'un petit lac, et on l'appelle le Pavillon d'or à cause de son toit, entièrement recouvert de lamelles du précieux métal !

Fondée par l'empereur **Kammu** en 794, **Kyoto** fut la résidence des empereurs jusqu'en 1868, année où la capitale fut déplacée à Tokyo.
On peut encore visiter aujourd'hui l'imposant palais impérial, appelé **Kyoto Gosho**, qui se dresse, entouré d'un vaste parc, au centre même de la ville. L'histoire millénaire de Kyoto l'a enrichie, au fil du temps, de monuments parfaitement conservés, qui en font un des hauts lieux touristiques du Japon.

Karesansui (les jardins de pierre)

Ces jardins splendides ont été conçus pour exprimer, par la disposition des pierres et des mousses, l'idée de la paix et de l'harmonie. Les pierres sont placées sur une étendue de sable ou de gravier sur laquelle sont tracés des lignes sinueuses et des cercles concentriques.

... ET DU PRÉSENT

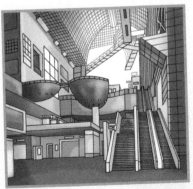

La gare de Kyoto

Cette gare ultramoderne (œuvre de l'architecte **Hiroshi Hara**) est la principale gare des trains, métros et autobus, mais elle abrite aussi des administrations publiques, un centre commercial, des théâtres, des boutiques et des restaurants !

– Ne vous en faites pas, je serai là pour vous aider !
la rassura Violet. Petite, j'ai appris le japonais, il
doit bien m'en rester quelque chose !

– Merci, Violet, ou plutôt… *arigato**! minauda
Colette, en s'inclinant profondément.

Les professeurs Bartholomé *Delétincelle* et
Ratilde **Maribran** étaient les accompagna-
teurs du groupe de Raxford, et ils prodiguaient
conseils et recommandations.

– Au début, ce sera difficile pour vous et pour les étudiants japonais de nouer des liens d'amitié, puisque vous ne parlez pas la même langue, les **avertit** le professeur Delétincelle. Mais à force de fréquenter les mêmes cours, vous verrez, vous parviendrez à vous comprendre !

Leurs bagages récupérés, les étudiants **SORTIRENT** de l'aéroport et trouvèrent un autocar à leur disposition, portant l'emblème du collège Yoshimune : il transporterait leur groupe jusqu'à Kyoto. Le **VOYAGE** dura un peu plus d'une heure.

Au collège Yoshimune, l'accueil fut solennel. Le recteur Nishikawa, vêtu d'un austère costume gris, les attendait debout au milieu de la cour. Derrière lui étaient rangés tous les professeurs et tous les **élèves** du collège. Quelle émotion pour les étudiants de Raxford !

Et quel **EMBARRAS** : pendant quelques minutes, en effet, tous retinrent leur souffle, se demandant comment ils devaient se comporter.

Enfin, le recteur Nishikawa s'approcha des professeurs de RAXFORD, inclina le buste et SOURIT, en leur serrant chaleureusement la patte.

– Au nom des professeurs et des étudiants du collège Yoshimune :

BIENVENUE !

Et les élèves japonais, tous ensemble, s'écrièrent :

Puis ils rompirent l'ordre si impeccable de leurs rangs et se précipitèrent à la rencontre des nouveaux arrivants.

Entre les étudiants des deux collèges, ce fut aussitôt tout un **échange** de noms, de cadeaux et de sourires. Là où les mots manquaient, ils trouvèrent tous très vite d'autres moyens de COMMUNIQUER, et commencèrent à jaillir des sacs et des poches les lecteurs MP3, les appareils photos et les téléphones de la toute dernière génération...

Le recteur Nishikawa fit un **CLIN D'ŒIL** à ses collègues de Raxford.

– On peut le dire : dans le monde entier, les jeunes sont les mêmes !

Au Japon, la politesse traditionnelle veut qu'en se présentant à quelqu'un, on **incline** le buste pour saluer. Mais un Japonais, à travers ce salut, peut exprimer des choses très différentes : des excuses, de la gratitude ou du respect. Plus l'inclinaison du buste est profonde, plus on manifeste son respect pour la personne qu'on a devant soi. Pour les salutations informelles entre amis, une inclinaison à peine esquissée suffit. Mais pour demander pardon, l'inclinaison doit être la plus profonde possible !

ELLE EST DES NÔTRES !

Après cet accueil des plus JOYEUX, le moment était venu pour les hôtes de découvrir les chambres dans lesquelles ils dormiraient.

Une *gracieuse* jeune fille en uniforme du collège s'approcha des Téa Sisters, s'inclina LÉGÈREMENT et dit :

– *Konnichi wa* !* Je m'appelle Kumi et je serai votre guide ici, au collège.

Elle avait un sourire **DOUX** et sincère : les Téa Sisters la trouvèrent immédiatement sympathique !

– Enchantée de faire ta connaissance, Kumi ! dit Nicky, qui alla vers elle et lui serra VIGOU-REUSEMENT la main. Je m'appelle Nicky, et voici Paméla, Violet…

* « Salut ! » en japonais.

KUMI
NAKAMURA

Mais elle ne put finir sa phrase car Kumi compléta
elle-même :
– … et voilà sans doute Colette et Paulina !
Les filles se regardèrent, *ÉBAHIES* : les étudiants de Yoshimune auraient-ils appris *par cœur*
les noms de leurs hôtes ?!
Kumi s'en expliqua **aussitôt** :

– Je connais vos prénoms parce que vous êtes les *Téa Sisters* ! J'étais **impatiente** de vous rencontrer en personne !

Puis, voyant leur expression perplexe, Kumi ajouta :

– J'ai suivi toutes vos aventures grâce aux **livres** de Téa Stilton : elle a une belle patte d'écrivain, et vous êtes devenues mes héroïnes ! Mais venez, je vous accompagne à ce qui sera votre chambre, ici, au collège...

Pendant qu'elles marchaient, traversant des salles et des couloirs, Kumi continuait de BAVAR-DER gaiement :

– Votre aventure en Alaska était palpitante* ! Et quand je pense qu'à New York, Nicky a même participé au grand **MARATHON**** !

Pam s'arrêta, saisie d'une pensée subite.

– Nom d'un boulon ! Puisque Kumi nous connaît aussi bien, je propose qu'elle soit nommée Téa Sister d'honneur !

OUIIIIIIIIIIIIIIIII !

* Kumi parle du volume intitulé *Le Trésor sous la glace.*
** C'était dans *New York, New York !*

Elles furent toutes d'accord et se serrèrent en
SOURIANT autour de leur nouvelle amie,
qui les regardait toute contente et même un peu
émue.

LA FÊTE D'ÉTÉ !

Les hôtes du collège disposaient du reste de la journée pour s'installer, et les Téa Sisters décidèrent de la passer avec leur nouvelle amie Kumi. Violet était INTRIGUÉE :

– Tu sais tout de nous : à toi maintenant de nous raconter quelque chose sur toi !

– Tu as raison, reconnut Kumi. Mais pour me connaître vraiment… le mieux est que vous veniez avec moi !

Elles la SUIVIRENT à travers les salles de classe et les couloirs déserts, jusqu'à une porte toute rouge et brillante devant laquelle Kumi s'arrêta.

La main sur la poignée, elle ouvrit la porte en grand et murmura, d'une voix tout émue :

– Voilà, c'est l'endroit que je préfère…

Les filles entrèrent et se retrouvèrent dans une pièce aux murs couverts de tableaux vivement COLORÉS, bourrée de matériel de peinture, de banderoles, de mannequins habillés de tissus en tout genre... un vrai bric-à-brac, en somme, mais qui mettait de la GAIETÉ dans les yeux !

Kumi expliqua :

– C'est le club d'art et de danse. En plus des cours TRADITIONNELS, nous organisons aussi des manifestations, des expositions, des concerts... et cette année, c'est moi la présidente du club !

Les Téa Sisters, bouche bée, REGAR-DAIENT autour d'elles.

– Depuis toute petite, j'ai appris les danses traditionnelles japonaises, poursuivit Kumi, mais je connais aussi le ballet et la danse moderne. Mon rêve, c'est de réussir à ouvrir le Japon à la *richesse* des autres cultures, pour que tous les peuples du monde s'unissent à travers la danse !

Tandis qu'elle parlait, les **YEUX** de la jeune fille brillaient et les Téa Sisters comprirent qu'elles avaient affaire à une fille vraiment *spéciale*.

Soudain, une autre étudiante du collège entra dans la pièce comme un *tourbillon* :

– Kumi ! Enfin je te trouve !

Puis elle remarqua la présence des Téa Sisters et ajouta, avec un peu de **FROIDEUR** :

– Ah, elles sont là aussi…

Kumi ne se rendit pas compte de ce brusque **ChANGEMENT** de ton et leur présenta son amie Sakura.

Celle-ci eut un sourire *poli*, s'inclina à peine puis recommença à parler, mais en s'adressant uniquement à Kumi :

– Je te cherche depuis des heures ! Nous devons travailler pour le Yosakoi, tu te SOUVIENS ?

– Mais oui, le Yosakoi ! s'exclama la jeune fille en se TAPANT sur le front.

Puis elle se tourna vers les Téa Sisters.

– Comme j'aimerais pouvoir vous le montrer !

Sakura parut INTERDITE.

– Mais… elles ne peuvent pas…

– Bien sûr que si ! Et pourquoi elles ne pourraient pas ?! répliqua Kumi d'un ton ferme.

Colette fut incapable de retenir sa **CURIOSITÉ** :
– Mais excusez-moi… c'est quoi, ce *Yoso-machin* ?
Tandis que Sakura la foudroyait du regard, Kumi **ÉCLATA** de rire et dit :
– C'est une fête d'été merveilleuse ! Chaque année, des centaines de personnes se réunissent pour **danser** toutes ensemble dans les rues de la ville de Kôchi, sur l'île de Shikoku !
Sakura ajouta avec **orgueil** :
– Notre collège y participe depuis sa première édition et, cette année, Kumi et moi nous occupons des chorégraphies et des **costumes**.

CHORÉGRAPHIE

Ce mot désigne l'art de composer des ballets, et de diriger les pas et les mouvements des danseurs lors d'une représentation. Il est formé de deux mots grecs : *choréia,* qui veut dire « danse » et *graphia,* qui veut dire « écriture ».

ÎLE DE SHIKOKU

YOSAKOI MATSURI

Au Japon, le passage d'une saison à l'autre est l'occasion de fêtes très gaies et très colorées, appelées **matsuri**, toutes différentes, qui se déroulent dans chaque région du pays.

Le **Yosakoi Matsuri**, par exemple, qui a lieu sur l'île de Shikoku au mois d'août, a été organisé pour la première fois en 1954. Pendant la fête, des groupes très nombreux, formés souvent de camarades d'école ou de collègues de travail, défilent à travers la ville en dansant la danse traditionnelle *Yosakoi Naruko*, sur une mélodie appelée *Yosakoi Bushi*.

Le rythme de la musique est marqué par des castagnettes spéciales appelées **narukos**, utilisées autrefois par les paysans pour chasser les corbeaux de leurs champs.

Aujourd'hui, chaque groupe peut créer librement les costumes, la musique et la chorégraphie de son propre défilé lors du Yosakoi. Il y a seulement trois règles à respecter : chaque groupe doit compter au maximum 150 personnes, toutes doivent avoir en main le naruko et la base de la musique doit toujours être la Yosakoi Bushi.

EUX-TU CONNAÎTRE D'AUTRES FANTASOURISTIQUES MATSURI JAPONAIS ? COURS À LA PAGE 186 !

– Oooh, est-ce que je peux vous aider moi aussi ? **S'il-vous-plaît S'il-vous-plaît S'il-vous-plaît !!** implora Colette.

Kumi acquiesça, emballée :

– Bien sûr ! Tu pourrais nous aider pour les costumes…

– Et moi, je pourrais jouer pour votre arrangement musical ! proposa Violet.

Nicky se mit à sautiller d'émotion.

– Génial ! J'emprunterai une guitare et nous pourrons faire un duo, Vivi !

– Et moi, je connais des pas de HIP-HOP* qui vont vous déboulonner ! Je peux vous les apprendre, si vous voulez ! ajouta Pam avec **FOUGUE**.

En moins de temps qu'il n'en faut pour le dire, les filles se mirent d'accord : cet après-midi même, elles sortiraient ensemble visiter la ville et chercher du matériel pour la *fête*. La seule à ne sembler guère enthousiasmée par la façon dont les choses tournaient était Sakura, qui fit la **moue** et trouva un prétexte pour ne pas se joindre à leur petit groupe.

* Le hip-hop est un genre musical né à New York… comme Pam, justement !

Moins d'une heure plus tard, Kumi frappa à la porte de la chambre des Téa Sisters. Paulina, qui alla ouvrir, ne la reconnut pas tout de suite !

– Mais… mais… Kumi, c'est vraiment toi ?!

À la place de son uniforme, en effet, Kumi portait maintenant des vêtements très colorés et à la dernière mode, tandis que ses cheveux étaient ornés de boucles multicolores et de barrettes SCINTILLANTES !

KUMI, C'EST VRAIMENT TOI ?!

KUMI, C'EST VRAIMENT TOI ?!

Colette se précipita pour l'admirer de près.

– Wouaouh ! Kumi, tu es magnifique ! Où as-tu eu ces bottes ? Elles sont MER-VEI-LLEU-SES !

– Euh, merci, dit Kumi en rougissant. En effet, l'uniforme, c'est bien pour l'école, mais en dehors des obligations OFFICIELLES nous avons le droit de nous exprimer en toute liberté !

Pam était enthousiaste :

– Oh oh, voilà qui commence à me plaire ! Et si en plus on mange bien, je suis prête à renoncer à mes pizzas bien-aimées pendant plus de trois mois !

Les filles SOURIRENT : leur aventure au Japon commençait de la meilleure façon !

UN MYSTÉRIEUX COUP DE FIL

Ce premier après-midi passa en un éclair, mais les jours suivants ne furent pas moins remplis : le matin, les Téa Sisters suivaient les cours avec leurs camarades du collège Yoshimune, puis elles se PRÉCIPITAIENT pour aider Kumi.

Sakura aussi prenait part aux préparatifs du festival Yosakoi, mais semblait de moins en moins ravie de la présence des nouvelles…

SAKURA

Au bout de deux semaines, les *professeurs* décidèrent d'accorder à tous ces jeunes un peu de *liberté* : quatre jours de repos et d'amusement avec leurs nouveaux amis JAPONAIS !

– Sakura et moi, nous avons déjà tout organisé. Ce sera une excursion inoubliable, vous verrez ! promit Kumi à ses nouvelles amies. Première étape : les thermes de Kurama, près de Kyoto, où nous passerons la nuit dans un vrai *onsen ryokan* japonais !

Le lendemain matin, les filles se donnèrent rendez-vous à la gare de Kyoto.

ONSEN RYOKAN

L'**onsen** est une station thermale, un endroit où l'eau jaillit de la terre à une température élevée, riche en précieux sels minéraux. Au Japon, on compte plus de 3 000 sources thermales et les Japonais aiment s'y baigner afin de tonifier leur corps et détendre leur esprit. Parfois, à un onsen est rattaché un petit hôtel, appelé **ryokan**.

– Cette GARE est une vraie ville dans la ville !
s'exclama Paulina, qui regardait autour d'elle,
extasiée.

Des escaliers roulants pleins de passagers montaient et descendaient à différents niveaux, et à tous
les étages s'ouvraient des boutiques, des restaurants, des bureaux et même… un THÉÂTRE !
Les structures en fer et en verre de la gare reflétaient la lumière et le MOUVEMENT : on se
sentait véritablement catapulté dans le futur !

Sakura dut rappeler Paulina et Nicky, qui ne pouvaient s'empêcher de tout PHOTOGRAPHIER :

– Vite ! Nous allons rater le train !!

Le voyage ne dura que trente minutes, mais le PANORAMA derrière la vitre du train changea dès qu'on quitta la ville : le verre et le BÉTON furent bientôt remplacés par de majestueuses MONTAGNES vertes, piquetées des taches de couleur des arbustes FLEURIS.

Pam n'arrivait pas à détacher son museau de la vitre.

– J'ai vraiment l'impression d'être sur une autre planète !

– Tu as raison, Pam, confirma Kumi. Les extrêmes font partie de notre CULTURE ! Nous aimons les trésors et les traditions de notre pays, mais nous tournons aussi notre regard vers le futur !

L'excursion devint plus surprenante encore quand le groupe arrive à Kurama : une charmante petite ville aux rues très colorées, pleine de commerces typiques et de maisons en bois à un étage.

Ce soir-là, une chambre était réservée pour elles dans un *onsen ryokan* avec piscine découverte. Elles furent bientôt plongées dans une eau délicieusement chaude dont les vapeurs montaient vers le ciel, éclairées par les premières LUEURS du soleil couchant. Dans la paix des forêts qui entouraient l'hôtel, elles BAVARDÈRENT, tranquilles et détendues.

Après le bain, elles s'accordèrent un copieux dîner à la japonaise dans une des petites salles à manger du *ryokan*.

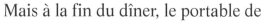

Mais à la fin du dîner, le portable de Kumi sonna : la jeune fille regarda le petit écran lumineux, et son expression se fit aussitôt tendue, *inquiète*. S'excusant auprès de ses amies, elle sortit en hâte de la salle avant de répondre. Colette la suivit des yeux puis commenta :

– Il y a quelque chose qui ne va pas, ici, les filles !

– Évidemment ! intervint Sakura. Mais apparemment, Kumi ne vous en a pas parlé, *à vous…*

LE THÉÂTRE DE MARIONNETTES

Sakura, *contente* de savoir à propos de Kumi quelque chose que les Téa Sisters ignoraient, expliqua :

– Vous ne savez sans doute pas que Kumi voudrait s'inscrire au conservatoire de musique et de **danse** de Paris…

– Mais bien sûr que nous le savions ! coupa Colette, un peu AGACÉE.

– Elle a beaucoup de talent, ajouta Paulina, et nous sommes sûres qu'elle y arrivera.

Sakura acquiesça. Puis, l'air *sérieux* :

– Ce que vous ne savez certainement pas, c'est que son père est un **GRAND** maître du théâtre Bunraku et qu'il exige que Kumi perpétue la tradition familiale…

BUNRAKU

Le **Bunraku** est un genre de théâtre classique qui se développa au Japon entre le XVIIe et le XVIIIe siècle. On l'appelle aussi **ningyo joruri** : *ningyo* veut dire « poupée » ou « marionnette », tandis que *joruri* est un récit chanté accompagné sur un instrument à trois cordes appelé **shamisen**. Chaque compagnie de Bunraku comporte des marionnettistes, un joueur de shamisen et un récitant. Les marionnettes sont de grande taille, près de la moitié d'un homme, et leur fabrication est assez complexe.

LES MARIONNETTES DU BUNRAKU

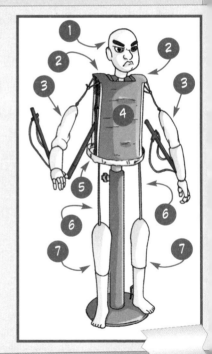

1 Tête

2 Épaules

3 Bras

4 Tronc

5 Cercle de bambou dessinant les hanches

6 Cordes

7 Jambes

LE THÉÂTRE JAPONAIS DE MARIONNETTES

OMOZUKAI

HIDARIZUKAI

TAYU

ASHIZUKAI

JOUEUR DE SHAMISEN

Le marionnettiste principal, appelé **omozukai**, actionne la tête et le bras droit de la poupée. Son premier assistant, l'**hidarizukai**, actionne le bras gauche, et le second assistant, l'**ashizukai**, fait bouger les jambes et les longs costumes des personnages. L'omozukai est le seul qui puisse montrer son visage : ses assistants portent en effet une cagoule noire. Mais le rôle le plus important est celui du récitant, appelé **tayu**, qui chante sur les notes du **joueur de shamisen** et raconte l'histoire. Le tayu doit être capable de recréer par sa voix l'atmosphère du drame et d'exprimer les caractères et les émotions de chaque personnage.

Au Japon, il existe d'autres formes traditionnelles de théâtre : le **Kabuki**, le **Nô** et le **Kyogen**. Pour en savoir plus, reporte-toi à la page 183 !

– Le théâtre Bunraku, c'est le théâtre de marionnettes ! expliqua Violet.

– Tu veux dire… comme Guignol pour les enfants ?! s'étonna Pam.

– Les marionnettes du Bunraku sont particulières, précisa Violet. Elles sont très grandes, au point qu'il faut même trois personnes pour les MANIPULER !

Sakura toisa les filles et eut un petit sourire ironique.

– Vous ne pouvez pas comprendre : le Bunraku est une forme d'art ancienne, unique au monde !

– Nous sommes sûres que Kumi a un profond respect pour la TRADITION, répliqua Nicky. Mais ses rêves aussi sont importants !

Sakura s'ENFLAMMA :

– Et vous croyez que je ne le sais pas ?! Nous avons essayé mille fois de le faire comprendre à son père, mais il a décidé que Kumi deviendrait *omozukai*, comme lui. Et ce n'est certainement pas vous qui pourrez le faire changer d'avis !

Sur ces mots, elle **PINÇA** les lèvres, se leva et sortit de la pièce.

Pam explosa :

– D'accord, nous ne serons peut-être pas capables de le faire changer d'**AVIS**, mais nous pouvons faire tout notre possible pour **soutenir** Kumi !

– Tu as raison, Pam ! approuva Nicky.

– Sinon, à quoi serviraient les amis ?!

SHINKANSEN !

Le lendemain, les filles partirent de bonne heure.
Destination : **TOKYO** !
Elles prirent le célèbre **TRAIN** Super Express
Shinkansen.
La silhouette fuselée ultramoderne de ce
train était éloquente : il était fait pour filer sur les
rails à une vitesse incroyable.

SHINKANSEN

Le réseau ferroviaire à grande vitesse du Japon s'appelle
Shinkansen, ses trains Super Express atteignent les **300 km/h**
(presque une automobile de Formule 1 !) et relient les
principales villes du Japon en un temps record.
Les trains en service sur la ligne reliant la ville de Fukuoka à Tokyo
ont des noms très particuliers, qui correspondent à différents
types de service : **Nozomi** (« espoir »), **Hikari** (« lumière ») et
enfin **Kodama** (nom traditionnel de certains lutins des bois).

Il les déposerait à Tokyo, à plus de quatre cents kilomètres de là, en deux heures vingt seulement !!

Paulina consulta son inséparable guide des SOURIS BLEUES :

– Le train dans lequel nous allons voyager effectue le service *Nozomi*, qui veut dire « ESPOIR » !

Kumi vit l'expression perplexe de Paméla et ajouta, avec un clin d'œil :

– Ne t'en fais pas, c'est le service le plus rapide et le train est toujours À L'HEURE !

– Alors, ils auraient dû l'appeler « certitude », plutôt qu'« espoir » ! décréta Pam.

Elles ÉCLATÈRENT de rire.

Kumi avait retrouvé son habituelle bonne humeur et les Téa Sisters se disaient qu'il valait mieux ne pas lui poser de questions sur ce qui s'était passé la veille.

Le train partit *parfaitement* à l'heure, laissant rapidement Kyoto derrière lui.

– Regardez ! le MONT Fuji ! s'écria Kumi tout à coup en désignant un point du paysage.

Les Téa Sisters se tournèrent vers la vitre et découvrirent un spectacle *éblouissant* : le Fuji se **dressait**, imposant malgré la distance. Ses parois montaient doucement jusqu'à un sommet légèrement évasé recouvert de **NEIGES** éternelles. Les filles étaient profondément émues...

... ET CE N'ÉTAIT QUE LE DÉBUT... ... DE CE QUI SERAIT UN MERVEILLEUX... ... VOYAGE AU JAPON !

TOKYO POUR TOUS LES GOÛTS !

Tokyo leur coupa le souffle : les dimensions, les couleurs, les lumières dépassaient ce qu'elles avaient imaginé !

– Bienvenue dans la ville où tout est possible ! déclara Kumi avec enthousiasme.

Sakura indiqua aux Téa Sisters une bouche de métro :

– Bon, vous avez sûrement beaucoup de choses à VOIR, ne perdez pas de temps...

– Tu PLAISANTES, Sakura ?! C'est *nous*, bien sûr, qui allons les guider dans les plus beaux endroits de la ville ! répliqua aussitôt Kumi, ignorant l'expression DÉÇUE de son amie.

Colette avait des idées très claires sur ce qu'elle voulait voir :

– J'ai lu quelque part qu'il y a un endroit consacré à toutes les tendances de la *mode* !

– C'est le *célèbre* quartier de Shibuya, confirma Kumi. Tu vas l'adorer, Colette !

– Ils disent aussi qu'il y a tout un quartier dédié aux nouvelles TECHNOLOGIES ! renchérit Paulina, le nez dans son guide.

– C'est Akihabara : là-bas, nous trouverons toutes les dernières techniques de pointe !

Kumi SOURIAIT avec satisfaction : elle connaissait à la perfection les goûts et les passions des Téa Sisters ! Pour Violet, elle avait prévu une immersion totale dans les musées et les beautés NATURELLES du parc de Ueno. Pour Paméla, les couleurs et le rythme du quartier Harajuku.

Et pour Nicky, enfin, le charme du quartier historique d'Asakusa !

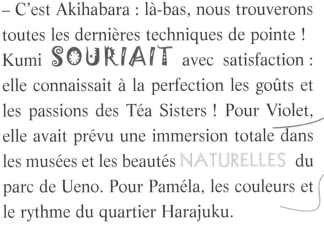

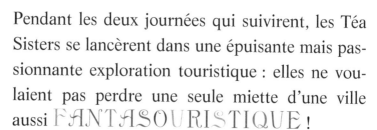

Pendant les deux journées qui suivirent, les Téa Sisters se lancèrent dans une épuisante mais passionnante exploration touristique : elles ne voulaient pas perdre une seule miette d'une ville aussi FANTASOURISTIQUE !

Sakura les suivait de mauvais gré et ne manquait jamais de se plaindre de la *CHALEUR*, de la foule, de sa fatigue... bref, elle était la seule à ne pas s'amuser !

L'APRÈS-MIDI du second jour, les filles avaient déjà sillonné la ville en long et en large quand Kumi les emmena dans un lieu très particulier.

– C'est un des endroits les plus fréquentés par nous, les jeunes ! expliqua-t-elle en indiquant l'entrée d'un immeuble noyée sous les néons.

– Mais... Kumi, c'est notre *karaoké shop* à *nous* ! protesta Sakura d'une petite voix.

Pam sursauta.

– Karaoké *shop* ?! Tu veux dire... un « magasin de karaoké » ?

– Plus ou moins, répondit Kumi avec un sourire malicieux. Vous verrez, c'est très AMUSANT ! Allez, suivez-moi...

Kumi entra, échangea un salut familier avec la caissière et se dirigea d'un pas **SÛR** vers une porte sur le côté.

Les filles la suivirent, très **INTRIGUÉES**, et se retrouvèrent dans une pièce sans fenêtre où des canapés et des tables basses étaient disposés devant un **grand** écran mural.

BAR KARAOKÉ

Le **karaoké** est un des passe-temps préférés des jeunes Japonais : on choisit une chanson connue de tous dont les paroles défilent sur l'écran, on prend un micro et... on chante ! Un « karaoké shop », ou bar karaoké, comprend plusieurs petites salles dotées des systèmes d'éclairage et de diffusion de la musique les plus modernes. On peut y rester des heures à chanter avec ses amis, et les jeunes Japonais souvent y commandent même le déjeuner ou le dîner.

Kumi les fit s'installer et appuya sur un bouton : aussitôt la pièce fut envahie de *lumières* de toutes les couleurs comme dans une discothèque, l'écran s'ÉCLAIRA et la musique commença à se diffuser dans des haut-parleurs invisibles !
Paméla prit un micro d'un geste solennel et annonça :

_ALLEZ, LES FILLES...

TOUT LE MONDE CHAAANTE !!

Une RENCONTRE

Jusque-là, Sakura était restée à l'écart, l'air RENFROGNÉ : elle n'avait pas voulu chanter un seul refrain et s'était même mise à bâiller !

Elle n'était pas fatiguée : elle était seulement jalouse des attentions que Kumi réservait à ses nouvelles amies…

Finalement, elle annonça qu'elle rentrait à l'hôtel.

Mais aussitôt dans la rue, elle eut une IDÉE.

Elle prit son téléphone portable et passa un court appel.

– KUMI EST À TOKYO ! chuchota-t-elle, en donnant l'adresse du bar karaoké.

Puis elle s'éloigna, un petit sourire satisfait aux lèvres.

Et quand les filles SORTIRENT, quelqu'un les attendait : un garçon grand et blond, à l'air *doux*, qui
salua Kumi de la main. Colette fut la première à
le voir et elle murmura à son amie :

– Hé, Kumi, il y a un garçon qui nous dit bonjour : c'est le JAPONAIS le plus... euh...
blond que j'aie jamais vu !!

Kumi se retourna et éclata de rire.

– Ha ha ha ! Mais il n'est pas japonais du tout ! C'est Holger, un de nos bons copains, il est **SUÉDOIS**...

Colette, embarrassée, rougit jusqu'à la pointe de son petit museau, tandis que le jeune homme s'approchait, d'un air un peu **empoté**.

– Coucou, Holger ! le salua **joyeusement** Kumi. Tu es venu faire du karaoké toi aussi ?

Le garçon secoua la tête.

– C'est pour toi que je suis venu, Kumi. Tu le sais bien !

La **JEUNE FILLE** changea d'expression et répliqua :

– Excuse-moi, mais comment as-tu fait pour savoir que...

Puis elle s'aperçut que les Téa Sisters l'observaient sans rien dire et elle fit les présentations :

– Les filles, voici Holger. Il vient de Suède, c'est un véritable **ARTISTE** du théâtre Bunraku et c'est aussi le fidèle assistant de mon père depuis des années...

Holger serra la main des filles, un peu emprunté, puis, ne s'adressant qu'à Kumi :

– Ton père sait que tu es à Tokyo et il voudrait vous inviter, tes amies et toi, à une soirée consacrée aux vraies TRADITIONS japonaises…

Car c'était au père de Kumi que Sakura, un peu plus tôt, avait téléphoné.

Les Téa Sisters comprirent immédiatement que cette invitation mettait Kumi dans l'EMBARRAS, et elles se précipitèrent à son secours :

– Nous serons ravies d'y aller avec toi, Kumi !

La jeune fille hésita puis accepta :

– D'accord, allons-y…

Un drôle
de bonhomme

Après un court *VOYAGE* en métro, les filles, accompagnées par Holger, arrivèrent à la résidence de la famille de Kumi. C'était un quartier construit dans un parc et constitué de maisons en

BOIS construites à la manière traditionnelle et entourées de luxuriants **JARDINS**.

Mais les **RUES** n'avaient pas de nom : sans Holger et Kumi, jamais les filles n'auraient pu trouver la maison des Nakamura !

– À Tokyo, quelques rues seulement portent un nom ! confirma Kumi en **SOURIANT**.

Nicky était ébahie :

– Difficile d'être facteur, par ici !

En remontant l'allée qui menait vers la maison, ils remarquèrent un monsieur de haute taille à l'air très sérieux, vêtu d'un kimono*, qui discutait avec un rat plus PETIT en costume occidental.

– Celui qui est en kimono, c'est mon père, dit Kumi. La conversation entre les deux rats semblait très **animée** et le groupe des nouveaux arrivants attendit respectueusement avant de s'approcher. Le monsieur habillé à l'occidentale avait l'air assez CONTRARIÉ.

MONSIEUR NAKAMURA

MONSIEUR ISHIKURO

* Costume traditionnel japonais.

– Mais soyez raisonnable... vous savez bien que cette année le spectacle a besoin de financements...

Le père de Kumi hochait la tête, l'air grave.

– Je sais que vous êtes de bonne foi, mais sans la princesse, aucune représentation ne peut avoir lieu !

– Permettez-moi d'*insister* ! Acceptez ma proposition...

Tout à coup, le rat en costume vert s'aperçut de leur présence et se tut.

Les Téa Sisters échangèrent un regard **PER-PLEXE** : leur arrivée semblait avoir interrompu une conversation importante et... très personnelle !

Holger intervint :

– Monsieur Nakamura, monsieur Ishikuro, je vous présente Violet, Colette, Paméla, Nicky et Paulina !

M. Nakamura les accueillit en s'inclinant profondément, mais son expression restait sérieuse et RÉSERVÉE.

INDICE 1

M. Ishikuro esquissa une vague inclinaison et commenta, en se **dirigeant** vers la porte du jardin :

– Eh bien, Kumi… tu arriveras peut-être à raisonner ton père ! C'est une vraie **TÊTE DE BOIS**, mais je n'ai pas dit mon dernier mot…

Il s'inclina encore deux fois et **MONTA** dans sa limousine noire, garée dans la rue au bout de la petite allée.

Paulina **OBSERVA** à mi-voix :

– Comme il est pressé de partir ! Quel drôle de bonhomme…

Les autres avaient la même impression et acquiescèrent d'un air **pensif**.

Qui est M. Ishikuro et de quelle « princesse » parlait-il avec le père de Kumi ?

LA CHAMBRE DES MERVEILLES

Dès que M. Ishikuro se fut éloigné, M. Nakamura s'adressa à Kumi et aux Téa Sisters :

– Entrez, vous êtes les bienvenues !

Cette ville ne sait plus aujourd'hui que courir après les nouveautés qui arrivent de l'étranger, mais ici vous pourrez goûter aux vraies traditions JAPONAISES !

Les filles s'inclinèrent poliment mais le père de Kumi répondit avec FROIDEUR à leur salut et s'éloigna, en demandant à Holger de les accompagner dans une salle où elles pourraient prendre des RAFRAÎCHISSEMENTS et se préparer pour la soirée.

Les Téa Sisters furent un peu *ÉTONNÉES* de cet accueil, aimable mais distant.

Sans compter toutes ces questions qui demandaient une réponse : à quoi M. Ishikuro faisait-il allusion quand il DISCUTAIT avec le père de Kumi ? Qui était la princesse dont celui-ci avait parlé ?

Kumi et Holger échangèrent un regard entendu : le moment des explications était venu.

Holger leur fit signe de le suivre dans un couloir entre les portes **coulissantes** et les conduisit dans une grande salle, entièrement consacrée au théâtre du Bunraku.

Les Téa Sisters n'en croyaient pas leurs yeux : partout, le long des murs, étaient alignées de *splendides* marionnettes !

Des guerriers en armure, des demoiselles élégantes aux coiffures compliquées, des personnages comiques au visage grotesque...

Les Téa Sisters regardaient autour d'elles avec enthousiasme, pendant que Holger souriait avec satisfaction.

– M. Nakamura est un maître du Bunraku, leur expliqua-t-il. Son école est l'une des plus importantes du Japon ! Malheureusement, ces derniers temps, le Bunraku attire de moins en moins de **SPECTATEURS** et nous fonctionnons uniquement grâce aux subventions...

– ... et grâce à de riches mécènes passionnés de Bunraku, comme M. Ishikuro ! conclut Kumi.

Holger acquiesça.

– Ces marionnettes ont une grande valeur mais le vrai trésor de la famille Nakamura, c'est celle que nous appelons la princesse : une marionnette qui date du temps des premières compagnies de Bunraku ! M. Ishikuro est venu exprès pour elle de sa résidence près de Kyoto.

– Ooooh ! s'exclama Violet, impressionnée.

Colette lui donna furtivement un coup de coude et dit à mi-voix :

– Alors elle est très très ancienne... c'est ça ?!!

Violet se retenait de rire.

– Oui, c'est ça, ma Colette ! La princesse doit avoir... voyons... pas loin de *quatre cents* ans !

– INCROYABLE ! commenta Pam. Et on peut la voir, cette vénérable mamie ?

Kumi secoua la tête, désolée.

– Non, les filles ! Elle est dans un lieu secret que seuls mon père et moi connaissons... La princesse, voyez-vous, n'est montrée au public qu'une fois par an !

– Pour le père de Kumi, la princesse représente l'esprit même du Bunraku, ajouta Holger, avec le plus grand sérieux. Il n'accepterait *jamais* de la vendre !

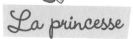

La princesse

Paulina commençait à mieux comprendre l'étrange conversation de tout à l'heure.

– C'est donc ça ! Si j'ai bien compris, M. Ishikuro veut acheter la marionnette de la princesse…

Holger confirma :

– Exactement ! Ishikuro est un vieil ami de la famille et il nous a toujours aidés, mais l'argent ne suffit pas pour maintenir en vie une tradition : il faut aussi le travail, la passion…

Le garçon s'enflammait, et les Téa Sisters sourirent : ce jeune apprenti suédois aimait le théâtre Bunraku autant, sinon plus, qu'un JAPONAIS !

Ishikuro veut acheter la précieuse marionnette de la princesse, mais Nakamura n'a aucune intention de la vendre…

Quand il vit que tous les regards étaient posés sur lui, Holger se tut immédiatement et **ROUGIT** jusqu'à la racine des cheveux.

Kumi vint à son secours :

– Venez, maintenant, les filles : nous devons nous préparer pour la cérémonie du **T H É** !

LA CÉRÉMONIE DU THÉ

Holger les emmena dans une autre pièce de la maison et leur recommanda :

– Vous pouvez vous changer ici mais faites **VITE** !

– Nous changer ?! reprit Colette, inquiète. Mais je n'ai rien apporté qui convienne à une *cérémonie* !

– Ne t'en fais pas, Colette, mon père a pensé à tout ! la rassura Kumi en lui tendant un paquet SOUPLE et léger.

Colette souleva le papier de soie et aperçut une précieuse étoffe brodée. Les yeux brillants, elle s'empressa de défaire le paquet, qui contenait un splendide *yukata** rose !

– REGARDEZ !! Il y en a un pour chacune de nous ! fit remarquer Violet. Et les COULEURS aussi sont *parfaites* !

* Un kimono plus léger, porté surtout au printemps et en été.

Aidées par Kumi, les filles enfilèrent en un ins-
tant ces vêtements magnifiques, complétés
d'ornements dans les cheveux, de cein-
tures serrées autour de la taille, et de chaussettes
blanches dans les traditionnelles et sympathiques
sandales de BOIS, qui leur posèrent quelques
problèmes d'équilibre au début !
Holger vint les chercher : il s'était changé lui
aussi, et il était très élégant dans son costume
masculin TRADITIONNEL.

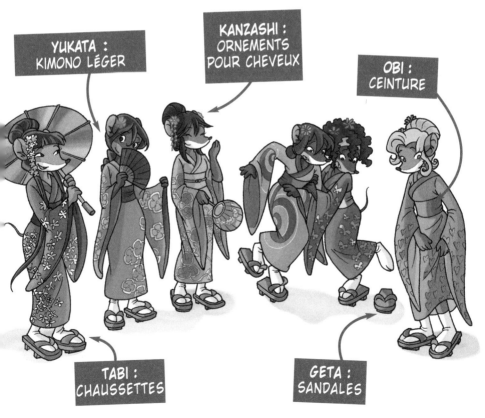

YUKATA :
KIMONO LÉGER

KANZASHI :
ORNEMENTS
POUR CHEVEUX

OBI :
CEINTURE

TABI :
CHAUSSETTES

GETA :
SANDALES

Le garçon les conduisit dans une petite salle d'attente près du JARDIN, où le père de Kumi les rejoignit bientôt.

Dans son kimono sombre, M. Nakamura semblait encore plus IMPOSANT et sévère, mais quand il vit les filles si joyeuses dans leurs vêtements colorés, ses lèvres se crispèrent un instant en un LÉGER sourire.

– Je suis heureux que mes cadeaux vous aient plu. Si vous voulez me suivre…

– Oh, merci ! *J'adore* le thé, surtout avec du citron… commenta Colette avec un petit rire, mais elle s'interrompit aussitôt en voyant un éclair de DÉSAPPROBATION dans le regard de M. Nakamura.

Les filles ricanèrent, tandis que Colette, gênée, baissait la tête.

– La cérémonie du  est très ancienne et n'a rien à voir avec notre manière occidentale de le boire ! expliqua Paulina. D'ailleurs, j'ai lu dans le guide qu'elle est très compliquée, espérons ne pas faire d'erreurs…

LA CÉRÉMONIE DU THÉ

C'est une des traditions les plus anciennes de la culture japonaise. Les instruments utilisés et l'atmosphère dans laquelle elle se déroule sont simples, réduits à l'essentiel. La cérémonie complète peut durer jusqu'à quatre heures et fait appel à un rituel très complexe, pendant lequel les invités peuvent consommer jusqu'à sept plats, avec deux sortes de **thé matcha**. Parfois, on se contente de la partie finale de la cérémonie, l'**usucha**, qui dure au maximum une heure et comporte un seul type de thé.

Kumi la *rassura* :

– Ne vous inquiétez pas : imitez mes gestes et tout ira très bien !

Tous se lavèrent les mains dans une vasque de PIERRE au bord du sentier, puis franchirent une petite porte très basse et se retrouvèrent dans la salle de thé, SIMPLE mais harmonieuse.

Les gestes savants et mesurés de Kumi, et l'atmosphère paisible de la pièce eurent bientôt un effet relaxant et tranquillisant sur les Téa Sisters, qui purent ainsi apprécier profondément l'*antique* rituel.

Le père de Kumi s'en aperçut aussitôt et admira avec **SATISFACTION** leur comportement.

Quand la cérémonie fut terminée, le soir était tombé et M. Nakamura proposa :

– Je serais très HONORÉ de pouvoir vous montrer une autre des merveilles de notre pays…

– *Ohanami !* s'exclama Kumi, rayonnante. Vous ne devez **ABSOLUMENT** pas rater ça, les filles !

Son père la **REGARDA** avec affection et, pour la première fois de la journée, lui **SOURIT** avec douceur.

– Bravo, Kumi… faisons découvrir à nos hôtes le *yozakura* !

Ohanami, qui veut dire « regarder les fleurs », est un usage japonais très ancien.

Entre la fin de mars et le début de mai, quand les cerisiers et les pruniers sont en fleur, un grand nombre de personnes se rassemble dans les parcs pour fêter l'événement en pique-niquant sous les arbres. Les divertissements se poursuivent pendant la nuit, où la fête prend alors le nom de fête **yozakura**.

La floraison des cerisiers est devenue au Japon un symbole de la tranquillité et de la paix intérieure que l'on ressent à être en harmonie avec les rythmes de la nature.

GUET-APENS SOUS LES CERISIERS !

Les Téa Sisters étaient heureuses de vivre un moment aussi spécial, et plus encore de voir les tensions entre Kumi et son père se dissiper peu à peu.

Malheureusement, Holger dut partir car il avait un rendez-vous, mais il promit à ses nouvelles amies qu'il irait les voir dans leur collège à Kyoto.

Le petit groupe se dirigea vers le PARC et les filles y trouvèrent un spectacle qui les laissa le souffle coupé : des centaines de LAM-PIONS en papier de riz brillaient aux branches des cerisiers et des pruniers en fleur, d'où tombaient doucement des pétales blancs comme la neige et roses comme de la barbapapa !

L'air était tiède et le parfum des *fleurs* se répandait alentour, tandis que les filles et M. Nakamura marchaient sur un tapis moelleux de PÉTALES.

Tout le parc était plongé dans une atmosphère de **rêve**, avec les lampions qui diffusaient leur douce lumière dans les frondaisons en fleur, projetant leur éclat multicolore dans la nuit sereine.

– Cette nuit est *magique* ! soupira Violet, extasiée.

– Ces derniers jours, nous avons vu des choses **merveilleuses**, mais celle-ci surpasse toutes les autres ! fit Nicky en écho.

Pam s'assombrit tout à coup.

– Ah là là ! Dire que demain il va falloir retourner au collège…

– Mais nous nous reverrons sûrement en août, pour le festival de Yosakoi ! dit Nicky pour la consoler.

À ces mots, l'atmosphère changea complètement. Kumi cessa de SOURIRE, lançant un regard d'appréhension vers son père.

M. Nakamura s'arrêta et retrouva son expression **AUSTÈRE**.

– Je ne prendrai pas part à cette manifestation.

– Mais c'est un événement très important pour votre fille ! protesta Paulina.

Nicky s'unit à elle :

– Kumi organise le ballet de cette année pour le collège : vous ne pouvez pas ne pas être là !

Kumi secoua la tête TRISTEMENT et murmura, d'une petite voix :

– C'est vrai, papa, je serais tellement heureuse si tu venais ! Tu pourrais voir de tes propres yeux qu'il n'y a rien de mal à renouveler les traditions...

Nakamura la coupa :

– BALIVERNES, Kumi ! Et tu n'iras jamais dans cette école étrangère : mets-toi bien ça dans la tête !

Les Téa Sisters ÉCHANGÈRENT un regard effrayé. Quelques minutes plus tôt le père et la fille semblaient parfaitement d'accord, et voilà que la soirée était GÂCHÉE ! Les choses n'auraient pu être pires, et pourtant... Brusquement, quatre individus LOUCHES habillés de noir et le museau masqué firent irruption devant les filles, tels des éclairs sinistres dans la NUIT !

INDICE !

Tout de suite après, trois autres bandits descendirent des branches d'un **ARBRE** et encerclèrent leur groupe, en s'approchant d'un air menaçant de M. Nakamura.

– **À l'aide !!!** s'écria Kumi de toutes ses forces pour attirer l'attention des gens qui étaient dans le parc.

Mais ce fut en VAIN : en moins de temps qu'il n'en faut pour le dire, les sept rats noirs immobilisèrent Nakamura, le BÂILLONNÈRENT et disparurent en le **PORTANT** à plusieurs.

Ils avaient fait si vite que les filles étaient restées PÉTRIFIÉES : le père de Kumi venait d'être *enlevé* !!

Six bandits ont enlevé le père de Kumi : qui sont-ils et que lui veulent-ils ?

Un moment difficile

La police *ACCOURUT* immédiatement, mais les ravisseurs avaient déjà disparu sans laisser de **TRACES**.

Les filles revinrent chez les Nakamura, effondrées et inquiètes. Kumi était trop secouée, il n'était pas question de la laisser seule. Les Téa Sisters allaient tout faire pour l'aider !

Elles commencèrent par téléphoner à Holger, qui arriva en un clin d'œil et s'occupa de répondre à toutes les questions posées par les **enquêteurs**.

– Mon père n'a pas d'ennemis ! continuait de répéter Kumi, incrédule. C'est un grand maître, un ARTISTE estimé, respecté de tous. Qui peut lui avoir fait une chose pareille ?

Une heure à peine s'était écoulée depuis l'enlèvement, quand une *limousine* noire s'arrêta
devant la porte des Nakamura. Pam et Paulina
pensèrent aussitôt la même chose :

– JE PARIERAIS QUE... hasarda Pam.

– ... que M. Ishikuro est de retour ? compléta
Paulina.

Et en effet, comme elles l'avaient deviné, ce fut le
riche mécène qui descendit de voiture.

Ishikuro entra dans la maison avec une expression **chagrinée**.

– Je revenais m'excuser auprès de mon cher ami pour les mots durs que j'ai eus envers lui, quand j'ai appris l'HORRIBLE nouvelle... Je n'arrive pas à y croire ! Y a-t-il déjà des suspects ?

Nicky REGARDA le petit museau tout chiffonné de Kumi et déclara d'un ton résolu :

– Pas pour le moment. Mais nous y travaillons !

M. Ishikuro resta interdit, pendant que les autres filles acquiesçaient vigoureusement.

– Tout à fait exact, ma sœur ! Ce genre d'affaire EMBERLIFICOTÉE est le fromage dont nous nous régalons le plus ! renchérit Pam.

Kumi retrouva un instant des couleurs et sourit faiblement. Colette s'approcha d'elle et la serra **FORT** dans ses bras, tandis que Paulina la rassurait :

– Courage, Kumi ! Nous resterons avec toi jusqu'à ce que cette vilaine affaire soit résolue !

Pendant quelques instants, l'espoir RÉCHAUFFA l'atmosphère.

Mais Violet remarqua que tous n'étaient pas aussi
RAVIS de leur proposition.

– Quelque chose ne va pas, monsieur Ishikuro ?
À l'écoute de son nom, l'homme d'affaires SUrsauta mais s'empressa de répondre :

– Euh... non, non. Bien sûr que non ! Je me
disais seulement qu'il serait plus utile que vous
rameniez Kumi à Kyoto, au lieu de rester ici à
attendre jour après jour des nouvelles devant le
téléphone...

Kumi 𝕤𝕖𝕔𝕠𝕦𝕒 énergiquement la tête mais
Ishikuro insista, avec une certaine brusquerie :
– Mais ne vois-tu donc pas que tu es 𝕔𝕠𝕦𝕝𝕖-
𝕧𝕖𝕣𝕤𝕖́𝕖 ?! Rentre à Kyoto et reprends-toi, je
m'occupe de tout !
  Les Téa Sisters n'apprécièrent nullement ce ton :
on aurait dit que Ishikuro faisait tout pour
les éloigner d'ici !
  Ce fut alors Holger qui s'avança. Il
vint près de Kumi et lui murmura, avec
douceur :

– M. Ishikuro a raison, Kumi ! Cela ne servirait à rien de rester là devant le téléphone, vraiment. C'est moi qui resterai, et dès qu'il y a du NOUVEAU, je t'appelle, je te le promets !

Pour Kumi, Holger était comme un frère : aussi se laissa-t-elle convaincre, et les filles regagnèrent leur hôtel pour se préparer à un TRISTE retour à Kyoto.

 Mais pourquoi Ishikuro insiste-t-il autant pour éloigner les filles du domicile des Nakamura ?

Un fidèle
Assistant

Pendant les jours qui suivirent, Kumi eut bien des **DIFFICULTÉS** à revenir à la vie habituelle du collège. Elle était sur des charbons **ARDENTS**, à attendre des nouvelles, et n'arrivait plus à se concentrer, même aux réunions du club d'art et de danse.

Sakura s'aperçut que son amie avait **ChANGÉ** depuis ses vacances à Tokyo, mais elle en ignorait le motif : en effet, pour ne pas l'impliquer dans cette **VILAINE** affaire, Kumi avait préféré ne rien lui raconter.

Mais ce n'était pas une bonne **IDÉE** : à la voir aussi distraite et détachée, Sakura se dit qu'il n'y avait plus de place pour elle dans le cœur de Kumi et, de jour en jour, se persuada que tout était la **FAUTE** des nouvelles venues !

Pendant ce temps, les Téa Sisters faisaient tout pour *rassurer* leur amie.

Un jour, alors qu'elles travaillaient sur les costumes du Yosakoi, Colette vit que Kumi avait posé son **aiguille** sur la table et, triste et pensive, regardait par la fenêtre. Pour l'**encourager**, elle lui prit la main et dit :

TOUT ÇA, C'EST LA FAUTE DES TÉA SISTERS !

– Tu verras, Kumi, tout va s'arranger. On peut faire confiance à Holger, je crois.

Le regard de Kumi s'*adoucit*.

– C'est vrai. Il est depuis longtemps le meilleur élève de mon père, et il est comme un fils pour lui...

– Et il a l'air **passionné** de Bunraku, observa Paulina.

Kumi acquiesça.

– Il a consacré sa vie à l'apprentissage de cette discipline ! Il est venu de Suède au JAPON pour apprendre auprès de mon père quand il n'avait que dix-huit ans, et il ne l'a plus jamais quitté !

Puis elle ajouta :

– Holger serait *parfait* pour succéder à mon père, mais notre tradition familiale veut que le chef *omozukai* soit japonais !

– Que c'est dommage ! **déplora** Violet.

– Oui, mais mon père est si entêté que...

Kumi s'était interrompue.

Puis elle resta silencieuse, pensant à son père **PRISONNIER**.

LE PLAN D'ISHIKURO

Le lendemain, Kumi reçut une visite : Holger arrivait de **Tokyo** avec des nouvelles !

Les Téa Sisters se réunirent immédiatement au club d'art et de danse, qui, à cette heure-là, était désert.

Holger commença à raconter :

– Nous avons reçu un message. Les **RAVIS-SEURS** demandent une montagne de yens* en rançon, et même M. Ishikuro serait incapable de réunir une telle somme en si peu de temps !

Kumi était **INQUIÈTE** mais Holger la rassura aussitôt :

– N'aie pas peur, Kumi ! M. Ishikuro a déjà un plan pour libérer ton père et livrer ces vauriens à la justice !

*Monnaie nationale japonaise.

– Nous vous y aiderons ! déclara Nicky, sur le PIED DE GUERRE, au nom de toutes les Téa Sisters.

– Merci, les filles, mais ce ne sera pas nécessaire, répliqua Holger avec un sourire. Ce plan nécessite l'aide d'une seule personne : Kumi !

Celle-ci, tendue et le museau tout PÂLE, parla cependant d'une voix ferme et résolue :

– Je ferai tout ce que je pourrai : compte sur moi !

– Il n'y a qu'une chose à faire, affirma Holger. Récupérer la poupée, celle de la *princesse* !

Le plan d'Ishikuro, en effet, était simple : à la place d'une somme en argent, ils donneraient aux ravisseurs la précieuse marionnette.

– Cette marionnette doit valoir très cher, alors ! commenta Colette d'un ton surpris.

– Sa valeur est INESTIMABLE, mais nous n'avons pas d'autre choix pour déclencher le PIÈGE ! rétorqua le garçon.

NOUS DONNERONS AUX RAVISSEURS LA POUPÉE À LA PLACE DE L'ARGENT.

HOLGER ATTENDRA LES RAVISSEURS POUR ÉCHANGER LA POUPÉE CONTRE M. NAKAMURA.

Puis il expliqua :

– Une fois que nous connaîtrons l'endroit, j'y attendrai les ravisseurs pour **échanger** la marionnette contre M. Nakamura… mais au moment de l'échange, Ishikuro arrivera avec la **POLICE** !

Kumi réfléchit quelques instants, puis consentit au plan :

– J'ai *confiance* en toi, Holger, et j'irai chercher la princesse. Mais à une condition : c'est *moi* qui la remettrai aux ravisseurs ! Je le dois à mon père, et puis je n'en peux plus de rester là à attendre !

– *TU NE CROIS PAS SI BIEN DIRE !* surenchérit Pam. Nous ne resterons pas ici à nous tourner les pouces !

AU MOMENT DE L'ÉCHANGE, ISHIKURO ARRIVERA AVEC LA POLICE.

LES RAVISSEURS SERONT ARRÊTÉS ET LE PAPA DE KUMI SERA LIBÉRÉ !

– Nous t'avons promis de t'aider et nous le ferons ! confirmèrent toutes les autres à l'unisson, d'un ton COMBATIF.

Kumi prit dans les siennes les mains de ses amies, les yeux brillants d'émotion.

– Je ne sais pas comment vous remercier, les filles ! Vous serez mes guerriers, comme pour Momotaro !

– HA HA HA, c'est vrai ! Nous avons bien besoin en effet d'un chien, d'un singe et d'un faisan ! acquiesça Holger, en ÉCLATANT d'un rire si contagieux que même Kumi ne put se retenir.

Les Téa Sisters se REGARDÈRENT, un peu suspicieuses.

– Des chiens et des singes ?! Eh bien, merci… Mais de quoi parlez-vous ?!?

LE CONTE DE MOMOTARO

Holger et Kumi continuaient de rire doucement, AMUSÉS. Puis le garçon expliqua :

– C'est une vieille histoire qu'on raconte aux enfants, tous les petits Japonais la connaissent !

– Quand j'étais petite, je voulais toujours qu'on me la raconte ! confirma Kumi, en SOU-RIANT. Et si mon père était occupé, j'allais voir Holger avec mon livre et il ne me disait jamais non !

Puis elle précisa :

– Le conte de Momotaro montre comment on peut surmonter toutes les difficultés grâce à l'aide de ses amis.

Laissez-moi vous le raconter...

LE CONTE DE MOMOTARO

IL Y A BIEN LONGTEMPS, DEUX VIEUX PAYSANS VIVAIENT À LA CAMPAGNE DANS UNE MAISON TRANQUILLE. ILS ÉTAIENT TRISTES CAR ILS N'AVAIENT PAS D'ENFANTS, MAIS LEUR VIE ÉTAIT PAISIBLE...

UN JOUR, LA VIEILLE PAYSANNE SE RENDIT À LA RIVIÈRE POUR LAVER SON LINGE ET VIT UNE PÊCHE GÉANTE QUI FLOTTAIT SUR L'EAU. ELLE EUT L'IDÉE DE L'OFFRIR À SON MARI...

... MAIS QUAND LES DEUX VIEILLARDS OUVRIRENT LA PÊCHE, ILS FURENT TRÈS ÉTONNÉS : À L'INTÉRIEUR, IL Y AVAIT UN MAGNIFIQUE BÉBÉ !

LE MARI ET LA FEMME DÉCIDÈRENT IMMÉDIATEMENT DE L'ÉLEVER COMME LEUR FILS.

ILS L'APPELÈRENT MOMOTARO, QUI VEUT DIRE « PREMIER-NÉ DE LA PÊCHE », ET IL GRANDIT EN DEVENANT UN JEUNE HOMME FORT ET INTELLIGENT.

UN JOUR, MOMOTARO DÉCIDA DE PROUVER SA VALEUR ET S'EN ALLA DÉFIER LES TERRIBLES MONSTRES DE L'ÎLE ONIGASHIMA.

EN CHEMIN, IL RENCONTRA UN CHIEN, UN SINGE ET UN FAISAN, ET IL FUT SI GÉNÉREUX AVEC EUX QUE LES TROIS ANIMAUX DÉCIDÈRENT DE L'AIDER DANS SON ENTREPRISE.

GRÂCE À L'AIDE DE SES AMIS ET À SON COURAGE, IL RÉUSSIT À VAINCRE LES MÉCHANTS HABITANTS DE L'ÎLE ET À S'EMPARER DE LEUR TRÉSOR.

LES QUATRE AMIS RETOURNÈRENT DANS LE VILLAGE DE MOMOTARO, OÙ LES DEUX VIEUX PAYSANS L'ACCUEILLIRENT AVEC JOIE.

LES GENS DU VILLAGE, EN ENTENDANT SES EXPLOITS, DÉCIDÈRENT D'ÉLIRE MOMOTARO CHEF DE LA CONTRÉE, ET IL RÉGNA TRÈS LONGTEMPS AVEC SAGESSE, TOUJOURS ACCOMPAGNÉ DES AMIS QUI L'AVAIENT AIDÉ !

– Accorde-moi l'honneur d'être ta *guerrière-singe*,
Kumi ! plaisanta Pam après ce récit, en s'inclinant profondément.

– OUIII ! MOI AUSSI, JE SERAI UN SINGE !
exulta Nicky.

Violet, elle, esquissa un délicat pas de danse.

– Moi, je serai le faisan !

– Dans ce cas, Colette et moi, nous serons les
puissantes *guerrières-chien* ! s'exclama Paulina.

La compagnie de Momotaro était au complet !

LE REFUGE
DE LA PRINCESSE

Le lendemain matin, les Téa Sisters se réveillè-rent très tôt pour accompagner Kumi jusqu'à la CACHETTE de la précieuse marionnette de la princesse.

Elles quittèrent le collège en BAVARDANT, sans s'apercevoir que quelqu'un les observait.

C'était Sakura, qui les vit MARCHER en groupe

et dont la jalousie envers les Téa Sisters ne cessait de grandir.

Elle ne pouvait pas comprendre le moment difficile que Kumi traversait, puisque personne ne lui avait parlé de l'**ENLÈVEMENT** de M. Nakamura…

Ainsi, elle décida de déclencher, le soir même, un plan pour reconquérir l'attention de sa meilleure amie.

Pendant ce temps, Kumi et les Téa Sisters, qui s'étaient dirigées vers l'extérieur de la ville, arrivaient à un chemin de terre longé de champs cultivés.

Kumi s'arrêta devant l'entrée d'une ANTIQUE demeure japonaise.

– C'est un poète qui a construit cette maison, il y a bien longtemps… Bienvenue à Rakushisha !

Les Téa Sisters regardèrent le simple toit de chaume, les BOIS anciens et les pierres usées, les poésies accrochées sur les murs d'argile… quelle atmosphère de paix et de sérénité !

Aucun doute : c'était vraiment le refuge idéal pour une princesse !

Rakushisha est une célèbre maison traditionnelle japonaise, très simple et construite en matériaux naturels, qui fut au XVIIᵉ siècle la demeure du grand poète **Mukai Kyorai**. Le nom de cette maison signifie « cabane des kakis abattus », en raison de la tempête capable en une nuit d'abattre la presque totalité des quarante kakis qui entourent la maison. Elle a des murs d'argile et un toit de chaume, et sur ses parquets sont gravés des poèmes courts (appelés *haïkus*), tandis que beaucoup d'autres sont accrochés, écrits au pinceau et à l'encre en caractères japonais.

Le GARDIEN de la maison connaissait bien Kumi : il était ami avec son père depuis le temps de l'école et Nakamura lui faisait entièrement confiance.

Quand il sut ce qui était arrivé, le gardien remit IMMÉDIATEMENT à Kumi une volumineuse et très précieuse boîte en ébène marqueté.

À cet instant précis, le portable de Kumi sonna : c'était Holger !

Les filles rentrèrent aussitôt au collège.

RENDEZ-VOUS DANS LE NOIR

Le rendez-vous avec les ravisseurs avait été fixé à 9 heures, non pas à Tokyo, mais aux environs du collège. Les Téa Sisters et Holger auraient donc le temps d'organiser l'*ACTION* dans la salle du club d'art et de danse. Kumi, pendant ce temps, alla chercher la poupée dans sa chambre. Elle s'apprêtait à sortir, quand une voix lui dit :

– Salut, Kumi !

La jeune fille était si tendue qu'elle *sursauta*. Elle vit Sakura entrer dans la pièce.

– Ah, enfin je te trouve seule ! lui dit-elle. Ces enquiquineuses de Téa Sisters ne sont pas là ?

Kumi aurait voulu lui expliquer la situation dramatique, mais un seul regard à l'horloge la fit changer d'AVIS !

– Excuse-moi, Sakura, je suis très pressée... Je t'expliquerai tout plus tard, *au calme* !

– Mais il n'y a rien à expliquer ! répondit son amie, irritée. Si tu préfères la compagnie de ces étrangères, libre à toi ! Ce n'est pas moi qui t'en empêcherai !

Kumi en resta interdite.

– Qu'est-ce que tu racontes ?! Ce n'est pas ça ! C'est parce que...

À ce moment-là, elle fut interrompue par la cloche du collège, dont le son profond frappait les heures : il était *8 heures et demie* !!

Kumi se dépêcha de prendre la boîte contenant la précieuse marionnette et Sakura en profita pour cacher dans son dos le portable de son amie. Kumi, dans sa hâte, ne s'aperçut de rien.

– Sakura, essaie de comprendre, je suis **TERRI-
BLEMENT** en retard ! On en reparlera… je te
le promets !

Sakura la regarda sortir en *COURANT* et ne
put masquer un petit **SOURIRE** insolent.

– Tu as peur d'être en retard à ton rendez-vous avec tes chères Téa Sisters, Kumi... murmura-t-elle pour elle-même. Mais tu sais quoi ? Elles ne viendront pas ! Et elles ne pourront même pas t'AVERTIR, si bien que tu devras les attendre **EN VAIN** pendant des heures !

Que penseras-tu alors de tes nouvelles amies, toi qui les **ADMIRES** tant ?!

Mais comment Sakura pouvait-elle être certaine que les cinq FILLES ne se présenteraient pas au rendez-vous ?

PRIS
AU PIÈGE !

Pendant ce temps, les Téa Sisters et Holger révisaient pour la énième fois les différentes **phases** du plan : tout était calculé dans les moindres détails.

– Nous suivrons Kumi de loin sans nous faire remarquer…

– … nous attendrons que les ravisseurs amènent M. Nakamura pour l'échange…

– … et nous tomberons sur eux à l'improviste et nous les retiendrons jusqu'à l'arrivée de la **POLICE** !

Le plus nerveux était certainement Holger.

– Attention quand même à ne pas prendre de risques inutiles ! Il faut juste les empêcher de s'échapper… Ne vous mettez pas en DANGER !

– Ne t'inquiète pas, Holger ! Nous savons bien comment traiter certains individus ! répliqua Pam avec assurance.

Ce fut à ce moment que retentirent les cloches de l'horloge du collège. Nicky rappela tout le monde à l'ordre :

– **ALLEZ**, il faut partir ! Kumi est sûrement déjà en route !

Les cinq filles et Holger se précipitèrent vers la sortie mais la porte était...

FERMÉE À CLÉ !

Tous tirèrent sur la poignée, tapèrent contre le bois, hurlèrent à se casser la voix... mais il fallut bien se rendre à l'évidence : quelqu'un les avait enfermés ! Qui avait bien pu faire ça ?!

De l'autre côté de la porte, Sakura se frottait les mains et RICANA de satisfaction : elle n'imaginait pas quelle CATASTROPHE sa petite farce allait provoquer...

Kumi, pendant ce temps, était arrivée sur le lieu

du rendez-vous avec les ravisseurs : le magnifique
jardin entourant le palais impérial de Kyoto.

La nuit était silencieuse et la lumière de la lune se
reflétait sur les arbres en *fleur*.

Kumi était tendue et inquiète : elle ne voyait nulle
part les Téa Sisters, et les RAVISSEURS
seraient bientôt là !

Pleine d'appréhension, elle se mit à chercher son
TÉLÉPHONE portable pour appeler ses amies,
mais… il avait disparu !

Comment avait-elle pu l'oublier dans sa chambre ?
Était-il possible que les Téa Sisters et Holger
l'abandonnent juste à l'instant CRITIQUE ?!

TU ES GÉNiALE, COLETTE !

Dans la salle du club d'art et de danse, pendant ce temps, Holger et les FILLES n'arrivaient pas à joindre Kumi.

– Elle ne répond pas ! répéta Paulina pour la énième fois, sur des charbons ARDENTS.

Holger hochait la tête, l'air sombre.

– Et Ishikuro aussi semble avoir DISPARU ! Il devrait être là, prêt à faire intervenir la police !

– Sapristi, nous ne pouvons pas rester enfermés ici dans un moment pareil ! éclata Pam.

INDICE 1

Pourquoi Ishikuro ne répond-il pas au téléphone ?

– Laissez-moi faire ! déclara soudain Holger. J'ai un **COUP** secret pour faire tomber la porte !

Le garçon prit une pose comique : en équilibre sur une **PATTE**, bras gauche à angle droit, regard fixé sur la porte… on aurait dit un héron ! Pam et Nicky *échangèrent* un regard, se retenant à grand-peine de rire, pendant que Colette fouillait dans son inséparable sac à main.

– Aaah, la voilà ! s'exclama-t-elle enfin avec satis-faction. Pas besoin de coups **secrets** ni de recourir à la manière forte, nous ouvrirons cette porte grâce à *ceci* ! Hé hé !

Puis, d'un geste *élégant* et solennel, elle sortit de son sac une épingle à cheveux rose et, sous les yeux d'un Holger incrédule, l'inséra dans la serrure, comme elle avait vu faire au **CINÉMA**. Quelques minutes plus tard, après diverses tentatives, on entendit le déclic du MÉCANISME de la serrure et la porte, enfin... s'ouvrit !

– **TU ES GÉNIALE, COLETTE !**

exultèrent ses amies.

TRAHISON !

Pendant ce temps, Kumi continuait d'attendre seule les ravisseurs, **frissonnant** au vent du soir. Chaque **OMBRE** la faisait sursauter.

Soudain, elle entendit un pas pressé qui se rapprochait de plus en plus...

TAP ! TA-TAP ! TAP ! TA-TAP !

Kumi tremblait de la pointe du museau jusqu'au bout de la queue, quand tout à coup elle s'aperçut que c'étaient les Téa Sisters et Holger qui arrivaient ! Soulagées, elles la serrèrent dans leurs bras, **ESSOUFFLÉES** d'avoir couru à perdre haleine.

– Pfff ! On a... on avait peur... de ne pas a... arriver à temps ! réussit à dire Paulina entre deux inspirations.

– Quelqu'un a essayé de nous empêcher de venir !
expliqua Holger, **ESSOUFFLE** lui aussi.

Ce moment de soulagement dura bien peu car
brusquement jaillirent de l'ombre les six ÉNER-
GUMÈNES qui avaient enlevé le père de Kumi.

– **TRAHISON !** cria Holger, alarmé.

– Ce n'est pas un échange, c'est un *guet-apens* !

– Ces bandits n'en veulent qu'à la marionnette de
la princesse ! s'écria Nicky en essayant d'en retenir un, qu'elle avait attrapé par la ceinture.

Où avons-nous déjà vu le brigand démasqué par Holger ?

Les FILLES firent de leur mieux pour protéger Kumi et la princesse, mais les six brigands couraient et sautaient comme des grillons, échappant AGILEMENT à toute tentative de les capturer.

Leur seul espoir était l'arrivée des renforts promis par Ishikuro, mais celui-ci semblait s'être ÉVANOUI dans le néant.

– *J'en ai un !* cria Holger tout à coup, attrapant un de leurs agresseurs par sa capuche et découvrant ainsi son VILAIN museau.

Ce fut alors qu'un des vauriens réussit à arracher la boîte précieuse des mains de Kumi.

– **NOOON !** Ils ont pris la princesse ! hurla la jeune fille **TERRORISÉE**.

> M. Ishikuro avait promis d'avertir la police, mais où est-il donc passé ?!

Mais c'était trop tard : rapides et silencieux comme ils étaient venus, les six BRIGANDS s'éclipsèrent dans la **NUIT** avec la précieuse marionnette, ne laissant derrière eux que le capuchon noir que Holger tenait encore TRISTEMENT entre ses pattes.

DE NOUVEAU AMIES !

La situation paraissait vraiment sans espoir.

– Je n'arrive pas à y croire ! se *désolait* Paulina. Ces sales bonshommes ont réussi à s'emparer de la princesse !

– Qu'est-ce qu'on peut faire, maintenant ? demanda Kumi, en *hochant* la tête.

La réponse arriva d'une petite voix derrière eux :

– Affronter ce nouveau **DÉFI**, avec toutes les personnes qui t'aiment, voilà ce que tu vas faire !

Les filles et Holger se retournèrent aussitôt.

SAKURA !

Après avoir laissé les Téa Sisters et Holger enfermés dans la salle du club d'art et de danse,

Sakura, en effet, avait commencé à chercher Kumi et avait réussi à retrouver sa trace jusqu'à cet endroit.

– Je n'ai été qu'une idiote ! commenta la jeune fille, mortifiée. Au lieu d'écouter Kumi, je n'ai pensé qu'à moi-même et à ma **jalousie** !

Mais Kumi pardonna à l'instant même à son amie :

– Moi aussi, j'ai commis une **GRAVE** erreur en ne te racontant rien ! Je voulais seulement te proté- ger mais je me suis trompée…

Sakura serra son amie contre elle, émue. Puis elle se tourna vers les Téa Sisters, contrite.

– Et vous, les filles, pourrez-vous me pardonner ?

– Compte sur nous, MA SŒUR ! répondit Pam au nom de toutes, en lui tendant la main. Certains MOTEURS doivent tourner un peu pour se chauffer, mais ensuite ils marchent plus fort que le vent !

Les filles se serrèrent la main, heureuses de cette amitié retrouvée.

Holger, lui, continuait à ruminer dans son coin sur la capuche qu'il avait arrachée au brigand.

– Mais bien sûr ! Voilà qui c'était ! s'exclama-t-il tout à coup, en se **tapant** le front. Écoutez-moi, nous pouvons encore y arriver ! Je sais maintenant qui a **enlevé** le père de Kumi et volé la poupée !

QUE DIRAIS-TU DE FAIRE LE POINT SUR LA SITUATION ?

1) M. Ishikuro arrive de Kyoto parce qu'il veut acheter la précieuse marionnette de Nakamura, mais le père de Kumi refuse de s'en séparer.

2) Quand Nakamura est enlevé, Ishikuro semble très pressé d'écarter les Téa Sisters de l'enquête.

3) Le plan destiné à surprendre les ravisseurs a été concocté par Ishikuro, qui disparaît cependant au moment de la rencontre et ne répond pas au téléphone.

4) Au moment de l'échange de Nakamura contre la marionnette, la police n'est pas intervenue.

5) Où avons-nous déjà vu l'individu à qui Holger a arraché sa capuche ?

À L'ATTAQUE, DU CHÂTEAU !

– Tout est plus clair maintenant ! déclara Holger. La demande de *rançon*... voilà pourquoi le rendez-vous avait été fixé à Kyoto, la demeure d'Ishikuro n'est pas loin... ensuite le plan pour récupérer la princesse dans sa CACHETTE...

Puis il agita devant les yeux des filles la capuche du bandit.

– Et la preuve est là ! Je savais que j'avais déjà 👁👁 cet individu quelque part, et j'ai fini par me souvenir ! L'un des ravisseurs est... le chauffeur d'Ishikuro !

– **NOOON !** Je ne peux pas croire ça ! s'écria Kumi, bouleversée. M. Ishikuro ne m'est pas très sympathique, mais il a toujours aidé papa dans les moments difficiles...

LE RAVISSEUR DÉMASQUÉ EST LE FIDÈLE CHAUFFEUR D'ISHIKURO !

– Holger n'a peut-être pas TORT ! intervint Paulina. La première fois que nous l'avons vu, Ishikuro essayait de convaincre ton père de lui vendre la *princesse*...

– C'est vrai ! confirma Violet. Et juste après l'enlèvement, il était très pressé de nous éloigner de Tokyo... presque trop !

– Sans parler de son « plan » : où était-il quand nous avions besoin de lui ?! conclut Nicky en croisant les bras.

Elles avaient raison : tous ces INDICES semblaient désigner Ishikuro.

– Ce n'est pas juste ! Ishikuro a gagné ! PRO-TESTA Colette.

Les filles et Holger **échangèrent** un coup d'œil.

– Rien n'est encore dit, ma sœur ! déclara enfin Pam, plus COMBATIVE que jamais.

Le groupe, nullement résigné, rentra au collège pour réfléchir à un nouveau plan.

Kumi connaissait bien la demeure d'Ishikuro, à quelques heures de Kyoto, près du mont Fuji, où le riche mécène conservait ses objets les plus précieux : la *princesse* était forcément là-bas !

Les filles saluèrent Sakura, qui restait au collège pour expliquer aux professeurs les raisons de leur absence, et rejoignirent Holger à la **GARE** de Kyoto.

La vue du mont Fuji coupait le souffle : il y avait encore de la **NEIGE** sur ses pentes et à son sommet un nuage gris en forme de couronne.

– Moi, je vous dis que le Fujiyama nous souhaite **b✳nne chance** à sa manière ! plaisanta Nicky, avec un clin d'œil à ses amies.

Ils arrivèrent devant la demeure d'Ishikuro à l'heure où les derniers rayons du **soleil** illuminaient l'imposante montagne.

C'était une construction à trois étages qui ressemblait à un antique château féodal japonais aux formes élancées, entouré de hautes murailles de **PIERRE** brute.

À l'extérieur, chaque étage était décoré de bois **SCULPTÉ** et peint, tandis que sur les toits en pente les tuiles reflétaient le scintillement de **FEU** des derniers rayons solaires.

– Pas mal, la maisonnette de M. Ishikuro ! commenta Colette, admirative.

– Ce ne sera pas une **plaisanterie** d'entrer là-dedans ! observa Paulina. Mais ne vous en faites pas : j'ai un plan !

Paulina prit une feuille et dessina une carte du château pour expliquer son idée :

– Il y a un système d'**alarme** très sophistiqué…
Holger prit la carte et l'examina attentivement,
avant de dire en riant, pour ALLÉGER la tension :

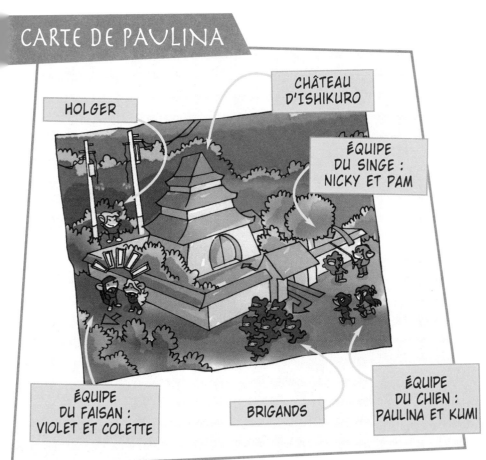

CARTE DE PAULINA

HOLGER

CHÂTEAU
D'ISHIKURO

ÉQUIPE
DU SINGE :
NICKY ET PAM

ÉQUIPE
DU FAISAN :
VIOLET ET COLETTE

BRIGANDS

ÉQUIPE
DU CHIEN :
PAULINA ET KUMI

– Heureusement, vous êtes là, les légendaires *guerrières-singe, faisan* et *chien*… comme dans le conte de Momotaro !

Ils élaborèrent ensemble un plan d'action *détaillé*, où chacun aurait un rôle **essentiel** à jouer dans sa réussite.

Le moment était venu...

... de remettre les compteurs à zéro !

Nom de code : Momotaro

Le premier à entrer en action fut Holger, qui s'occupa de couper les fils apportant l'électricité au château, ce qui mit hors-jeu le système d'alarme pendant quelques minutes.

Dès que le château fut plongé dans le **NOIR**, les gardes commencèrent à sortir : c'étaient justement les six brigands habillés de noir qui avaient enlevé M. Nakamura !

> 1 HOLGER S'OCCUPA DE COUPER L'ÉLECTRICITÉ...

À ce moment-là, l'équipe du *faisan* entra en scène : Violet et Colette rejoignirent le bas de la muraille du côté opposé à la porte d'entrée, où elles attirèrent l'attention des GARDES par des MINAUDERIES et de petits cris. La réaction ne se fit pas attendre : les six gardes se dirigèrent comme un seul rat vers les deux filles, qui eurent toutefois le temps de se CACHER dans les bosquets.

2

... VIOLET ET COLETTE ATTIRÈRENT L'ATTENTION DES BRIGANDS...

ÉQUIPE DU FAISAN

C'était à l'équipe du *singe* de jouer, maintenant !
Nicky et Pam, qui étaient les plus **ENTRAÎNÉES**
du groupe, lancèrent deux solides CORDES
par-dessus le mur d'enceinte et, dans la confusion
générale, escaladèrent rapidement le mur de
PIERRE.

C'est juste à temps qu'elles touchèrent le sol de
l'autre côté : les malfaiteurs avaient actionné le
générateur de secours, et dans le château les
LUMIÈRES s'étaient rallumées.

ÉQUIPE DU SINGE

4

... ET PAULINA ET KUMI PURENT AINSI ENTRER ET RÉUSSIR À TROUVER LA CENTRALE D'ALARME !

ÉQUIPE DU CHIEN

Elles parvinrent aisément à ouvrir le grand portail pour faire entrer l'équipe du *chien* : Paulina et Kumi. Toutes deux avaient la tâche la plus délicate : trouver la centrale d'alarme du château et enfermer les brigands dans leur propre repaire !

DERRIÈRE
LES BARREAUX !

Violet, Colette et Holger, à leur tour, étaient entrés dans le château, et la suite se déroulerait à l'intérieur des murailles.

Les filles faisaient leur maximum pour occuper les gardiens en **jouant** à colin-maillard dans les couloirs et les salles.

Paulina mit un peu de temps à étudier le système d'**ALARME** informatisé pour trouver une solution.

Aussitôt, elle appela Nicky sur son portable :

– **COURS** dans le couloir qui mène aux écuries du château... et arrange-toi pour que ces **VAURIENS** te suivent !

Nicky était la plus rapide du groupe, et elle n'eut pas de mal à entraîner les six individus à sa poursuite.

Ils enfilèrent un long couloir ꙅ𝗈mbᴦᴇ, mais à mesure qu'ils progressaient, derrière eux tombaient de lourdes grilles aux épais **BARREAUX** d'acier.

KLANG! KLANG! KLANG!

Pendant ce temps, Paulina contrôlait leurs mᴑuvᴇmᴇnts sur les écrans du système de sécurité : dès qu'elle vit Nicky arriver à l'autre bout du couloir, elle commanda à l'ᴑᴦᴅɪΠᴀᴛᴇᴜᴦ de fermer la dernière grille.

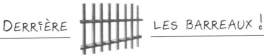
Quelle surprise pour les six **malfaiteurs**, qui se retrouvaient là où ils auraient toujours dû être : derrière les barreaux !

Les jeunes gens, triomphants, s'écrièrent en chœur :

_YEAAAAHHH !!!

Mais… où était donc passé M. Ishikuro ?

BAS LES MASQUES !

Les filles et Holger commencèrent à explorer un peu plus calmement le château, qui contenait des merveilles de toutes les époques et de tous les pays.

– Regardez toutes ces œuvres d'$\mathcal{ART}$! s'exclama

Violet. Quelle beauté ! Tout cela devrait être dans un musée, au lieu de ce château GLACIAL !

Holger rappela ses amies :

– Venez, vite ! Ici, il y a une salle entièrement consacrée à l'art JAPONAIS...

La salle était remplie de trésors : de précieuses céramiques s'alignaient dans une vitrine à côté de deux splendides kimonos anciens. Nicky observait une série de mannequins qui reproduisaient des personnages du théâtre Nô*, quand tout à coup elle sursauta.

* L'une des formes classiques du théâtre japonais. Pour en savoir plus, va à la page 183 !

– Eh, attendez un peu ! Ce n'est pas un manne-quin, *là* !

– **PAPA !** cria aussitôt Kumi en se précipitant pour libérer son père, bâillonné et LIGOTÉ comme un saucisson au milieu de tous ces mannequins anciens.

M. Nakamura serra de toutes ses forces sa fille dans ses bras.

– Kumi, ma petite chérie, tu es venue jusqu'ici pour me sauver…

Puis il serra Holger dans ses bras, avant de s'incliner profondément devant les Téa Sisters.

– Vous avez été vraiment très COURA-GEUSES, jeunes filles. Je ne sais comment vous remercier !

Paulina leur rappela à tous :

– Il faut rester prudents ! Le système d'alarme a dû avertir la **POLICE**, mais nous devons trouver la princesse avant que M. Ishikuro ne nous découvre !

– Trop tard, *mesdames et messieurs* ! annonça alors une voix derrière eux.

C'était Ishikuro, et il avait la boîte de la *prin-cesse* !

Le bandit s'était caché dans cette salle au premier signe de **DANGER**, mais il était pris au piège, maintenant : Holger, Nakamura et six jeunes filles bien entraînées le séparaient de la sortie !

Nakamura s'avança vers lui d'un air menaçant.

– Comment as-tu pu me faire ça ?! Je te considérais comme un ami !

Ishikuro tentait tout doucement de se glisser vers la sortie, sous l'œil attentif d'Holger et des *filles*.

– Tu n'as rien compris ! répliqua-t-il avec irritation. Il me la *fallait*, cette marionnette ! Sa place était ici, avec tous mes autres trésors !

Holger le foudroya du regard et répondit, indigné :

– Une marionnette de Bunraku est faite pour prendre vie grâce aux émotions que les artistes réussissent à transmettre au public, par le cœur et par l'art ! Nul n'a le droit de l'enfermer dans une pièce où personne ne pourrait la VOIR !

Nakamura, ému, regarda son fidèle ÉLÈVE et comprit alors que la tradition du Bunraku n'aurait pu se trouver en de meilleures mains.
L'ÉCOLE Nakamura venait de trouver son digne successeur !

SAUVÉS !

Mais M. Ishikuro n'avait nullement l'intention de rendre les armes, et il continuait furtivement de **lancer** des coups d'œil vers la porte.

– Imbéciles d'étrangères, vous avez tout **gâché** ! siffla-t-il, en regardant les Téa Sisters de travers. Mais vous n'arriverez pas à m'envoyer en **PRISON** !

Ayant ainsi parlé, il courut vers l'entrée, dans une ultime tentative pour s'*ENFUIR*.

Les Téa Sisters l'encerclèrent immédiatement et Violet réussit à lui faire un croche-pied.

Ishikuro tomba par terre, et la boîte contenant la précieuse marionnette lui échappa des mains.

Pendant un **très long** instant, tous restèrent le souffle coupé à regarder la boîte voltiger au-dessus de leurs têtes. Puis, tout à coup, Kumi cria :

- OH NOOOOOON !!!

La boîte s'était ouverte en l'air, et la marionnette retombait vers le sol, où elle allait finir en mille MORCEAUX...

Le désastre semblait inévitable, quand soudain Paméla démarra à toute vitesse et, dans un bond digne d'un lièvre, plongea pour attraper la poupée une seconde avant qu'elle ne s'écrase au sol !

– POUR PAM, HIP HIP HIP HOURRAH ! exultèrent en chœur les filles, tandis que le père de Kumi immobilisait Ishikuro, l'empêchant ainsi de s'enfuir.

Holger aida Pam à se remettre sur ses PATTES et prit dans ses bras la marionnette, intacte.

– La princesse est sauvée ! s'exclama-t-il au milieu des soupirs de soulagement de Kumi et des Téa Sisters.

Quelques minutes plus tard, trois autos de la police arrivèrent dans un hurlement de sirènes, et les policiers trouvèrent, déjà enfermés, six bandits verts de rage et un bien TRISTE SIRE, Ishikuro, tout saucissonné, prêt à être emporté !

Les jours suivants, la police examina les œuvres d'*ART* présentes dans le château et y trouva de nombreuses pièces volées, qui appartenaient en droit au peuple JAPONAIS. Le château d'Ishikuro, confisqué par les forces de l'ordre, serait bientôt un **MAGNIFIQUE** musée, à la disposition de tous les amateurs de l'art et des TRADITIONS !

MERCI, LES TÉA SISTERS !

Enfin, les Téa Sisters pouvaient admirer à loisir la fameuse *princesse* du théâtre Bunraku !
– Comme elle est *belle* ! s'exclamèrent Colette et Violet en se prenant la main avec **émotion**.
Le kimono que portait la princesse brillait de mille **PAILLETTES** dorées et paraissait tout neuf, en dépit des années et des périls traversés.
– Pour une grand-mère de près de quatre cents ans, elle a l'air en forme ! commenta **joyeusement** Pam.

Holger regarda Kumi, qui acquiesça de la tête : le moment était venu de rendre la princesse à son propriétaire légitime. Holger **traversa** toute la salle avec sur le museau une expression solennelle. S'arrêtant devant son *maître*, il s'inclina profondément et lui tendit la marionnette.

– Il est temps que la princesse rentre chez elle, maître ! Mais M. Nakamura posa *délicatement* la main sur son épaule et le fit se redresser.

– Avec toi, Holger, elle est *déjà* chez elle. La princesse est à toi, maintenant !

Holger, tout d'abord INCRÉDULE, fut incapable de contenir sa joie et remercia son maître en s'INCLINANT à plusieurs reprises profondément devant lui.

Kumi fut la première à féliciter le nouveau maître de l'école Nakamura :

– C'est ton rêve qui se réalise, Holger ! Personne ne le mérite plus que toi !

– Et à propos de rêves qui se réalisent… suggéra Nicky avec un CLIN D'ŒIL en direction de ses amies, j'ai l'impression qu'une certaine petite Japonaise de notre connaissance partira bientôt pour Paris !

À ces mots, Kumi leva *timidement* les yeux vers son père. Et quand elle le vit SOURIRE, elle courut se jeter dans ses bras.

– Oh papa ! Merci ! MERCI !

Nakamura hocha la tête et caressa la joue de sa fille.

– Ce n'est pas moi qu'il faut remercier, ma chérie, mais tes précieuses amies ! Le monde est plein de personnes *spéciales* comme elles, et je sais maintenant que chacune porte en elle ses propres TRADITIONS, comme un trésor. T'obliger à rester ici serait comme enfermer la princesse dans un coffre-fort GLACIAL !

Kumi ouvrit les bras, comme pour embrasser toutes ensemble ses cinq amies.

– Merci, les Téa Sisters !

TOUT LE MONDE À LA FÊTE !

Dès leur retour au collège Yoshimune, mes *chères* Téa Sisters me téléphonè-rent pour me raconter cette fantasouristique **AVEN-TURE**.

Elles me parlèrent tellement de Kumi et de Sakura qu'il me semblait les connaître déjà, et elles me décrivirent la *danse* qu'elles préparaient depuis des semaines pour le Yosakoi Matsuri annuel.

Colette était tout **émotionnée**.

– Cette année, la *fête* sera plus belle que jamais, Téa ! Tu dois *absolument* venir !

TU DOIS ABSOLUMENT VENIR !

173

– Nous avons fait un costume spécialement pour toi et nous te l'avons expédié en courrier prioritaire à RAXFORD ! ajouta Nicky avec un petit RIRE.

– C'est vrai ! intervint Paulina. Cours acheter ton billet d'avion, et tu verras que ce râleur de Porphyre te remettra le paquet à temps pour le DÉPART !

NOUS T'ATTENDONS, TÉA !

– Nous t'attendons, Téa ! conclurent-elles toutes les cinq à l'autre bout du fil.

Comprenez-vous à présent ce qu'il y avait dans le paquet qui arrivait du Japon ?

Oui, c'était bien cela : le **splendide** costume traditionnel créé pour moi par les Téa Sisters et par leurs **amies** pour le bal de la fête de Yosakoi !

Quand j'arrivai, la petite ville de Kôchi brillait déjà de mille **COULEURS**, tandis que le son des musiques de tous les groupes emplissait l'air de vibrations et d'**allégresse**.

Kumi et Sakura m'accueillirent comme l'invitée d'honneur et m'aidèrent pour apprendre les pas de leur chorégraphie. Même Holger dansait avec nous, pendant que M. Nakamura nous suivait de loin, **fier** du talent de sa fille.

Que de gens, que de couleurs, que de danses !!!
Ce fut vraiment pour nous toutes un été spécial.
Le JAPON resterait à jamais dans nos
coeurs !

Mieux que des amies,
Des sœurs !

Téa Sisters

LE PAYS DU SOLEIL LEVANT

LE NOM OFFICIEL DU JAPON EST NIHON-KOKU. LE MOT NIHON, EN JAPONAIS, VEUT DIRE « ORIGINE DU SOLEIL » : LE JAPON SE TROUVE EN EFFET À L'EST (LÀ OÙ LE SOLEIL SE LÈVE) PAR RAPPORT À LA CHINE ET PLUS GÉNÉRALEMENT À L'EUROPE. CHAQUE MATIN, QUAND NOUS NOUS RÉVEILLONS, LE SOLEIL EST DÉJÀ VENU VISITER NOS AMIS JAPONAIS !

UN EMPIRE DÉMOCRATIQUE !

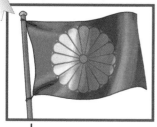

L'EMPEREUR

Depuis l'Antiquité, un empereur règne sur le Japon.

Au cours des siècles, différentes dynasties se sont succédé sur le trône et les empereurs ont souvent été flanqués de gouverneurs locaux comme les shoguns (de sei-i-tai-shogun, c'est-à-dire « généralissime contre les barbares »). Aujourd'hui, le Japon est le seul pays au monde qui ait un empereur régnant, **Sa Majesté Impériale l'Empereur Akihito**, bien que ses fonctions soient surtout cérémoniales : le gouvernement du pays est en effet confié depuis 1946 à un système parlementaire démocratique.

L'actuel empereur Akihito a épousé **Michiko Shoda**. Le couple impérial a eu trois enfants : le **prince Naruhito**, héritier du trône du Japon, le **prince Akishino** et **Sayako**, qui a renoncé à tout titre impérial en épousant un roturier.

Au Japon, les années sont comptées différemment ! Les Japonais maintiennent vivante la tradition qui veut que les époques soient désignées par le nom de l'empereur. L'empereur actuel est monté sur le trône le 7 janvier 1989, date à laquelle a commencé pour les Japonais l'**ère Heisei**.

Les **shoguns** étaient des commandants militaires qui secondaient le gouvernement de l'empereur et qui avaient souvent un grand pouvoir. Le gouvernement des shoguns était très strict et supposait une division de la société en classes : les plus puissants étaient les *samouraïs* (les guerriers), suivis des paysans, des artisans et des marchands. Le dernier shogun, de la dynastie des Tokugawa, restitua son pouvoir à l'empereur en 1868.

Les **samouraïs** étaient les guerriers du Japon féodal. Ce terme vient du mot *saburai*, qui veut dire « serviteur » ou « accompagnateur ». Les samouraïs étaient en effet des guerriers (*bushi*) au service d'un seigneur féodal ou *daimyo*. À la fin du XIXe siècle, l'empereur Meiji décida de se passer des samouraïs et de constituer une armée sur le modèle occidental.

IL N'Y A PAS QUE LE BUNRAKU...
LE THÉÂTRE TRADITIONNEL JAPONAIS

Le théâtre de marionnettes, le Bunraku, n'est pas la seule forme de théâtre traditionnel japonais : il y a aussi le Kabuki, le Nô et le Kyogen, très populaires aussi bien nationalement qu'à l'étranger, et qui se réclament d'une très longue tradition

1. LE KABUKI

C'est une forme de théâtre née au début du XVIIᵉ siècle. Les acteurs récitent et dansent sur une musique chantée, et portent des costumes grotesques et très colorés. Leurs visages sont maquillés différemment selon le rôle et les émotions que le personnage doit incarner. Seuls les hommes montent sur la scène, et les acteurs spécialisés dans les rôles féminins s'appellent les *onnagata*.

2. LE NÔ

C'est la plus ancienne forme de théâtre musical japonais.
Là aussi, les acteurs sont vêtus de costumes précieux et
l'histoire est racontée à travers le chant et la danse, ainsi
que la récitation. L'acteur principal porte un masque
laqué, et chaque masque est traditionnellement associé
à un personnage : vieil homme, vieille femme, jeune fille…

3. LE KYOGEN

Son nom veut dire « paroles déchaînées » et c'est une forme
de théâtre comique qui est souvent joué entre deux représen-
tations de théâtre Nô. Les répliques et les actions du Kyogen
sont très simples et très amusantes : à la différence des autres
formes de théâtre, en effet, le Kyogen a pour but de faire rire
le public et de lui offrir quelques moments de joie.

UN ALPHABET DESSINÉ

Dans la langue japonaise, les mots peuvent s'écrire soit en utilisant un alphabet composé de lettres, soit par des signes complexes qui représentent une idée. Au Japon, il existe trois sortes d'écriture : les **hiragana**, les **katakana** et les **kanjis**.

L'écriture basée sur les hiragana et les katakana est phonétique, c'est-à-dire qu'à chaque symbole correspond un son (comme dans notre alphabet).

L'écriture basée sur les kanjis, elle, est symbolique, c'est-à-dire qu'à chaque symbole correspond un ou plusieurs sens.

Les Japonais peuvent, de plus, écrire à l'horizontale ou à la verticale. Quand ils écrivent à l'horizontale, ils vont de gauche à droite et de haut en bas (comme nous), tandis que quand ils écrivent à la verticale, ils vont toujours de haut en bas mais de droite à gauche. Dans l'écriture des kanjis, les espaces entre les mots n'ont pas de fonction (chaque symbole correspond en effet à un mot différent) et tout est donc écrit à la suite, sans interruption !

PAM NE COMPRENAIT PAS PAR QUEL BOUT COMMENCER !

おめみまろれをわ

PETIT DICTIONNAIRE
DE JAPONAIS

Apprendre le japonais demande sans aucun doute du temps et de la patience, mais certains *kanjis* sont simples à apprendre et, avec l'aide de Violet et de mon petit dictionnaire, j'ai appris en un clin d'œil quelques petites phrases utiles. Les voici !

Konnichiwa (prononcer *Konnitchoua*) : bonjour
Konbanwa (prononcer *konbannoua*) : bonsoir (uniquement après le coucher du soleil)
Sayonara : au revoir
Arigato gozaimasu : (*arigato gozaïmasu*) : merci (« gozaimasu » renforce la politesse !)
Douitashimashite (*dooita-chimachité*) : je vous en prie
Oyasumi nasai (*oyasoumi nazaï*) : bonne nuit
Hai (*haï*, en faisant un peu entendre le h initial) : oui
Iie (*iïé*) : non

QUE C'EST JOLI, UN KANJI !

海　UMI = MER

愛　AI = AMOUR

月　TSUKI = LUNE

夜　YORU = NUIT

日　HI = JOUR (SOLEIL)

風　KAZE = VENT

夏　NATSU = ÉTÉ

春　HARU = PRINTEMPS

冬　FUYU = HIVER

秋　AKI = AUTOMNE

おめみまろ

LA FÊTE ENCORE ET ENCORE !

Les **matsuri** sont les festivals japonais qui célèbrent l'alternance des saisons, les récoltes, l'arrivée de la floraison… Outre le Yosakoi, une grande quantité de fêtes a lieu dans toutes les régions, à toutes les périodes de l'année et… pour tous les goûts !

AWA ODORI

Cette fête se déroule tous les ans du 12 au 15 août dans la ville de **Tokushima**. Elle remonte à 1587 ; *Awa* est l'ancien nom de la ville. Hommes et femmes, en groupes séparés (les hommes vêtus d'amusants yukata courts et les femmes coiffées des chapeaux traditionnels en forme de semi-rondelle), défilent à travers les rues de la ville au son des tambours et de petits instruments à cordes.

GION MATSURI

En juillet a lieu à **Kyoto** le défilé de chars du Gion Matsuri. En bois peint et décorés de sculptures et de tissus, ils sont si spectaculaires qu'ils méritent bien leur surnom de « musées en mouvement » ! Ils défilent dans les rues de la ville au rythme de la musique, transportant des enfants masqués, des musiciens et même des marionnettes.

TANABATA MATSURI

On l'appelle aussi la « fête des étoiles » : selon une légende ancienne, en effet, deux amoureux, **Hikoboshi** (qui représente l'étoile Altaïr) et **Orihime** (l'étoile Véga), furent autrefois séparés par une rivière (la Voie lactée). Une fois par an seulement, les amoureux ont la possibilité d'être réunis, pendant la septième semaine du septième mois. À cette occasion, les Japonais écrivent un vœu ou un poème sur un long ruban de papier coloré et le suspendent à une branche de bambou. Les longues branches de bambou qui supportent ainsi ces bandes multicolores sont appelées *tanzaku*.

SAPPORO YUKI MATSURI

Le festival de la neige de **Sapporo** dure une semaine et se déroule au début du mois de février. Son origine remonte à 1950, quand un groupe d'étudiants réalisa de grandes sculptures de neige dans le parc : elles étaient si belles que beaucoup de gens suivirent leur exemple, et le festival devint bientôt un rendez-vous fixe ! Les sculptures de glace qui ornent la ville peuvent aller jusqu'à 15 mètres de haut et 25 mètres de large (à l'intérieur, on peut parfois même se perdre) !

LA FÊTE DES POUPÉES !

HINA MATSURI

La fête des poupées a lieu le **3 mars**, qui est le jour des petites filles. Pendant cette fête sont exposées à l'intérieur des maisons de magnifiques poupées qui reproduisent les personnages de l'antique cour de l'empereur. Un tapis rouge appelé *Mousen* est posé sur des marches (de 5 à 7), sur lesquelles sont placées les poupées, la marche la plus haute étant réservée au couple impérial.

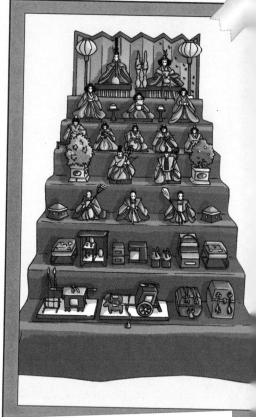

Pendant cette fête, on boit du **amazake**, une sorte de saké non alcoolisé fait à partir de riz, et l'on mange des **arare**, qui sont des biscuits secs assaisonnés de sauce de soja. Mais le gâteau typique est le **hishimochi**, formé de trois couches superposées de pâte de riz sucrée (le mochi).

Téa Sisters

JOURNAL
à dix
pattes !

LES ARTS TRADITIONNELS JAPONAIS

L'ORIGAMI est l'art de plier le papier pour obtenir des formes et des figures. Il est né probablement vers l'an 600, quand les secrets de la fabrication du papier (découverts en Chine) arrivèrent au Japon. Les pliages les plus connus et les plus traditionnels sont ceux qui représentent des animaux, des étoiles ou d'autres formes décoratives. L'origami est connu maintenant dans le monde entier, et des experts de tous les pays ont contribué à enrichir cet art de formes de plus en plus spectaculaires et complexes.

HUM... JE MANQUE PEUT-ÊTRE UN PEU D'ENTRAÎNEMENT !

L'art de plier le papier est vraiment fantasouristique ! Sakura est une experte dans cette discipline qui demande de la patience et de la précision, et elle m'a appris à réaliser quelques figures simples : essaie donc toi aussi !

LA GRENOUILLE EN PAPIER

1. Prends une feuille de papier vert carrée et plie-la en deux.
2. Plie de nouveau en deux le rectangle obtenu.
3. Plie-le maintenant selon la diagonale (comme sur la figure).
4. Rouvre le triangle sur une seule couche.
5. Aplatis-le bien.

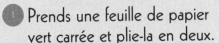

6. Retourne ton pliage et replie en diagonale la partie qui se trouve en haut à droite sur la figure.
7. Rouvre la partie que tu viens de plier, de façon à obtenir comme sur la figure.
8. Aplatis bien l'ensemble pour avoir un petit triangle.

9. Replie les ailes inférieures de la première couche vers l'intérieur…
10. … en les laissant un peu écartées, pour obtenir deux petites cornes comme sur la figure.
11. Retourne ton pliage et plie les ailettes à la moitié vers le centre.

12. Plie vers le haut les deux pointes du bas.
13. Plie vers le centre les deux pointes latérales.
14. Retourne ton origami, dessine-lui deux yeux, et voilà ta grenouille !

La poésie des fleurs...

Au Japon, j'ai découvert une discipline très ancienne qui enseigne à disposer des fleurs de manière harmonieuse : on l'appelle IKEBANA !

Le mot **ikebana** veut dire en japonais « fleurs vivantes » : c'est l'art de composer des bouquets.
Dans les compositions ikebana, les branches, les feuilles et les fleurs représentent symboliquement l'homme, la terre, le ciel, le passé, le présent et le futur. Le but de la composition n'est donc pas seulement décoratif, il devient aussi une recherche constante d'harmonie avec l'espace et avec la nature.

REGARDEZ COMME JE SUIS DEVENUE HABILE !

...ET LA POÉSIE DES MOTS !

Le HAÏKU est une forme de poésie très brève mais pleine de significations.

Le schéma du haïku originel comporte trois vers : le premier doit avoir cinq syllabes, le second sept et le troisième de nouveau cinq (mais dans la traduction du japonais il est souvent difficile de respecter cette règle !).

Autre caractéristique du haïku : les références (appelées *kigo*) à une saison. Essayez à votre tour de composer votre haïku !

Un des plus grands poètes japonais fut MATSUO BASHO. Sa première œuvre date de 1662.

Son vrai nom était Matsuo tout court : le nom de Basho fut celui qu'il se choisit quand un de ses élèves lui offrit un bananier (qui se dit justement *basho* en japonais !).

UN VIEIL ÉTANG
UNE GRENOUILLE
SAUTE
LE BRUIT
DE L'EAU

UN HAIKU DE
MATSUO BASHO

Ce grand poète composa surtout des *renga*, poèmes plus longs formés d'une succession de haïkus, mais ses haïkus, séparément, ont rendu ce genre poétique très populaire et très apprécié.

KIMONO !

Le kimono est le costume traditionnel japonais. Il était porté autrefois aussi bien par les hommes que par les femmes, mais le kimono féminin se distingue du kimono masculin en étant plus complexe et plus orné.

De nos jours, on ne le porte que pour certaines occasions importantes ou pour les fêtes !

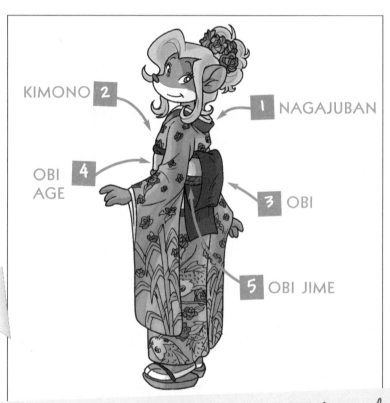

KIMONO **2**

1 NAGAJUBAN

OBI AGE **4**

3 OBI

5 OBI JIME

Un kimono est composé d'une grande quantité de couches de tissu et de toutes sortes d'accessoires : il faut vraiment beaucoup d'expérience pour réussir à s'habiller en kimono !

1 Le **nagajuban** est une combinaison de soie que l'on enfile sous le kimono. Du nagajuban, on ne voit que le col et une partie des manches, souvent ornées en harmonie avec les couleurs et les motifs du kimono lui-même.

2 Le **kimono** proprement dit est le vêtement du dessus, au tissu plus précieux et ornementé.

3 L'**obi** est une bande de tissu de couleur, large et plate, qui ceint la taille et sert également à réaliser la décoration complexe en forme de gros nœud dans le dos, le *musubi*. Il existe plusieurs sortes de nœuds, mais le plus communément utilisé est le **taiko-musubi** (ou « nœud de tambour »).

4 L'**obi age** est un long ruban de tissu précieux servant à maintenir le *obi musubi* replié dans le dos. Généralement en soie très colorée, il s'attache devant.

5 L'**obi jime** est le dernier ruban que l'on ajoute pour compléter la décoration que le obi forme à la taille. Il est assez mince, presque un cordon, et reste visible à la taille sur le devant, par-dessus le obi.

Ils sont là mais restent invisibles !

Certains rubans et éléments importants du kimono ne se voient plus quand la personne est habillée, mais ils sont bien là !

1) Les **himo** : cordons qui servent à maintenir les vêtements sous le kimono.

2) Le **date jime** : une longue bande d'étoffe utilisée pour maintenir en place le nagajuban et le kimono sous la bande obi.

3) Le **obi makura** : un petit coussin qui sert à maintenir légèrement soulevée la décoration complexe faite dans le dos.

LA MAISON JAPONAISE

Dans le dessin ci-dessous, à quel élément correspondent les descriptions ? Chaque description porte un numéro, que tu devras associer à une lettre sur l'image. La solution est imprimée à l'envers en bas de la page 196.

1 Le **genkan** se trouve à l'entrée et comprend une zone, plus basse par rapport au reste de la maison, dans laquelle on enlève ses chaussures.
Sur le sol des maisons japonaises, en effet, on marche sans chaussures pour ne pas salir !

2 Le lit est constitué par le **futon**, qui est posé directement sur le sol et composé de deux parties : le *shikibuton*, un matelas rembourré, et le *kakebuton*, une couverture qui recouvre le *shikibuton*.

3 À la place des portes, les **fusuma**, châssis en bois, coulissent sur le côté et sont revêtus de papier solide ou de tissu, souvent décorés.

4 Les fusuma-shoji (ou simplement **shoji**) sont des panneaux coulissants à quadrillage de bois caractéristique. Ils sont revêtus de papier de riz, pour permettre à la lumière de filtrer à l'intérieur de la pièce.

5 Le sol des maisons japonaises traditionnelles est recouvert depuis toujours de **tatami**, des tapis de paille de riz pressée recouverts de jonc tressé et à bordure en tissu. Le tatami est confortable et c'est un excellent isolant.

LE SUDOKU... QUELLE PATIENCE !

Le Sudoku est un jeu de logique qui se joue avec un crayon et du papier. Il est basé sur les chiffres, mais pas la peine d'être fort en mathématiques pour résoudre un Sudoku ! Dès le XVIIIe siècle, en Europe, le mathématicien suisse Euler avait jeté les bases de ce jeu, mais c'est seulement depuis quelques décennies que le Sudoku a pris la forme que nous lui connaissons aujourd'hui. En 1984, la revue *Monthly Nikolist* propose ce jeu pour la première fois au public japonais, et dès ce moment, le nombre de passionnés ne cessera d'augmenter, faisant du Sudoku le jeu le plus populaire au Japon et dans le monde entier !

LES RÈGLES DU SUDOKU

Le jeu est constitué d'une grille de 81 cases formant un carré de 9 cases de côté, subdivisé en neuf blocs identiques comportant chacun neuf cases (ces blocs sont signalés par un trait plus épais). Dans chaque case, on ne peut écrire qu'un seul chiffre.
Le joueur doit ajouter tous les chiffres qui manquent, mais en suivant certaines règles simples :
A) on ne peut utiliser que les chiffres de 1 à 9 ;
B) chaque ligne, chaque bloc et chaque colonne doivent contenir tous les chiffres de 1 à 9 mais sans qu'il y ait de répétition (ainsi, le 9 ne peut apparaître qu'une seule fois sur une même ligne, dans une même colonne ou à l'intérieur d'un même bloc).
Quand toutes les cases sont remplies sans aucune répétition... le jeu est terminé !

ESSAIE TOI AUSSI DE FAIRE UN SUDOKU !

Remplis toutes les cases vides du schéma en bas de la page, mais rappelle-toi que tu ne peux pas mettre le même chiffre deux fois dans la même colonne, sur la même ligne ou dans le même carré !

9	1	~~9~~
7	3	8
5	6	4

9	1	2
7	3	8
5	6	4

ERREUR ! DEUX 9 SUR LA MÊME LIGNE !

CE CARRÉ EST JUST[E]... TOUS LES CHIFFRES SONT DIFFÉRENTS !

7	3		1	2		5	6	
						3		4
8		2	5			1		9
		3			2			6
5			4	1		9		
	9				8			7
		7		9				
9	5				1			3
1	2	4	3			7	9	

La solution se trouve à la page 214.

La cuisine avec des algues !

Dans la cuisine japonaise, les principales saveurs se basent sur cinq éléments : le SUCRE (*sato*), le SEL (*shio*), le VINAIGRE (*su*), la sauce de SOJA (*shuyu*) et le MISO, un condiment obtenu à partir de graines de soja fermentées et d'autres céréales.

Les algues sont un ingrédient très courant de la cuisine japonaise. Elles contiennent des éléments utiles pour la santé et sont riches en protéines, vitamines et sels minéraux ! Il existe plusieurs sortes d'algues comestibles, comme l'algue **wakamé** et l'algue **nori**.

LA SOUPE DE MISO

Pour faire cette recette, demande l'aide d'un adulte !

INGRÉDIENTS : 1 grand bol d'eau, 1 cuillerée de miso, 1 morceau d'algue wakamé (2 cm), un petit morceau de gingembre frais, 1 petit oignon.

PRÉPARATION : coupe l'algue en petits morceaux et mets-la à tremper 10 minutes dans l'eau froide. Coupe l'oignon en tranches, ajoute-le à l'eau, que tu portes lentement à ébullition avec l'algue. À part, râpe le gingembre puis presse-le pour n'en garder que le jus. Quand l'eau bout, éteins le feu et ajoute le miso. Laisse reposer pendant 5 minutes. Avant de servir, ajoute une petite cuillerée de jus de gingembre.

Makisushi : des rouleaux d'algues irrésistibles

Au Japon, la nourriture ne doit pas seulement être bonne, elle doit aussi être... belle ! Étonnez vos amis avec ces délicieux makisushi, mais demandez toujours l'aide d'un adulte pour faire la cuisine !

INGRÉDIENTS POUR 2 PERSONNES : 360 g de riz blanc à grains ronds, des feuilles d'algue nori séchées (on en trouve dans les épiceries spécialisées en produits exotiques), 1/2 concombre pelé et coupé en fins bâtonnets, 1/2 avocat coupé en fines tranches longues, du surimi (ou de la chair de crabe, ou du saumon fumé ou du thon à l'huile), une petite cuillerée de sucre, une petite cuillerée de sel, une petite cuillerée de vinaigre.

1. Préparez un riz blanc bouilli, qui doit être un peu collant. Hors du feu, mélangez le sel, le sucre et le vinaigre avec le riz et faites-le refroidir.

2. Sur une surface plane, posez une feuille d'algue nori séchée sur un makisu (petite natte de bambou pour sushi) ou simplement sur une feuille de papier sulfurisé.

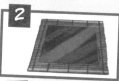

3. Posez le riz sur l'algue, en laissant 1,5 cm libre sur un des bords.

4. Disposez au milieu les bâtonnets de concombre, les tranches fines d'avocat et le poisson.

5. Soulevez le bord de l'algue en même temps que la natte ou le papier sulfurisé et enroulez-la, en maintenant la farce en place à l'aide des doigts.

6. Demandez à un adulte de découper le rouleau en rondelles, à l'aide d'un couteau bien aiguisé et mouillé, pour que le riz n'attache pas à la lame.

BON APPÉTIT !

KUMIHIMO

Une mode qui vient du passé

Le mot kumihimo signifie en japonais « tressage de fils ». Grâce à un tressage patient, en effet, on peut obtenir des cordons aux vives couleurs, qui peuvent s'utiliser de toutes sortes de façons !

La technique du tressage arriva de Chine au Japon aux alentours du IVe siècle, mais c'est à l'époque des samouraïs qu'elle s'exprima le mieux. En utilisant différentes sortes de métiers à tisser, on tresse des cordons très gais, de formes et de couleurs variées, qui donnent une touche de fantaisie aux vêtements de tous les jours !

Que de choses on peut faire avec les cordons du kumihimo !

Un collier !

Les bretelles de ma tunique !

Une ceinture !

Un bracelet !

Pour obtenir des formes plus complexes, il faut un métier à tisser spécial en bois. Mais pour créer de sympathiques cordons à offrir à vos amies comme bracelets, porte-clés ou colliers pour pendentif, ce n'est pas difficile !

Pour un simple tressage à 8 fils, préparez votre disque de kumihino : il comporte 32 encoches sur sa circonférence et un trou au centre. Découpez un cercle dans une feuille de carton avec un verre ou un bol, puis découpez des encoches à distance régulière (en vous faisant aider d'un adulte !) ou bien achetez le disque de tressage en latex, qu'on trouve maintenant dans les merceries.

1

1. Prenez 4 fils de même longueur et pliez-les exactement en deux, puis faites un nœud qui les attache tous ensemble au sommet.

2. Faites passer les fils par le nœud dans le trou central et fixez par groupe de deux les fils dans les encoches, comme pour former une croix.

2

3. Prenez le fil en haut à droite et passez-le dans la première encoche libre en bas à droite, comme sur la figure.

4. Faites la même chose avec le fil en bas à gauche, que vous ferez passer en haut à gauche. Tournez le disque dans le sens des aiguilles d'une montre et recommencez comme en 3.

3

Continuez jusqu'à ce que les fils soient tous tressés : vous verrez un lumineux kumihino prendre forme peu à peu !

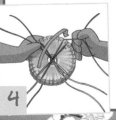

4

JEUX

KUMI EST UNE VRAIE CHAMPIONNE DES JEUX TRADITIONNELS JAPONAIS : ELLE NOUS A APPRIS CEUX AUXQUELS ELLE JOUAIT DEPUIS L'ENFANCE… ENFIN, DISONS QU'ELLE A ESSAYÉ !

AYATORI

Un joueur prend un brin de laine noué, qu'il fait passer autour de ses doigts, les mains ouvertes et tendues. L'autre joueur essaie de former des figures en déplaçant à son gré le fil de laine. On y joue généralement à deux, mais ce jeu peut aussi se pratiquer seul.

OTEDAMA

C'est un très ancien jeu, auquel on jouait traditionnellement en lançant des petits sacs remplis de haricots. Il s'agit de lancer en l'air un sachet, appelé *ojami*, et d'en attraper un second avant que le premier ne retombe à l'intérieur de la main.

DARUMA OTOSHI

Frappez avec un marteau les disques colorés qui sont empilés pour former une sorte de tour ou de poupée. Mais attention ! ne faites pas tout tomber : au sommet se trouve la tête de Daruma, très en colère !

KENDAMA

Le kendama est une sorte de marteau avec deux extrémités de forme concave et un manche qui se termine par une pointe au sommet. Une petite boule rouge percée est attachée par un fil au kendama : il s'agit de l'enfiler sur la pointe !

JANKEN

C'est l'équivalent de notre jeu de pierre-papier-ciseaux : deux joueurs se font face et prononcent les mots **jan ken po** en faisant le geste de la main qui représente le papier (*pa*), les ciseaux (*choki*) ou le caillou (*gu*).

QUELQUES CURIOSITÉS DU PAYS DU SOLEIL LEVANT

QUE DE COUTUMES DIFFÉRENTES ON DÉCOUVRE, QUAND ON VOYAGE DANS UN PAYS ÉTRANGER ! LE JAPON EST UNE VRAIE MINE DE CURIOSITÉS : DÉCOUVREZ-LES AVEC NOUS !

Au Japon, on accorde une grande importance à la forme physique des travailleurs et à leur bien-être… Quoi de mieux qu'une bonne séance de gymnastique avant le travail ? Ainsi, dans beaucoup d'entreprises, les employés se rassemblent dans la cour sur leur lieu de travail pour s'entraîner par des exercices simples, et souvent en musique !

Les Japonais sont toujours très attentifs à ne pas déranger les autres, en particulier dans les lieux publics comme le métro ou l'autobus. Par exemple, s'ils sont enrhumés, ils portent un masque de protection sur le visage pour ne pas contaminer les autres !

Les enfants japonais ont un grand ami, **Teru Teru Bozu** : c'est un petit personnage en tissu blanc avec une grosse tête ronde. Les enfants le suspendent à l'extérieur quand le ciel est nuageux, car une vieille croyance dit que Teru Teru Bozu est capable d'éloigner la pluie et de ramener le beau temps.

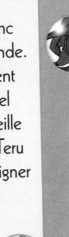

Avant les téléphones portables, les Japonais avaient un système très pratique pour laisser des messages à leurs amis : les ardoises de la gare ! Dans les gares ou dans les stations de métro, on trouve encore ces **Ekinodengonban** : de petites ardoises et des craies à disposition des passagers. Pratique, non ?

La passion des Japonais pour les chats est sans limites ! Les habitants de Tokyo, depuis quelques années, peuvent prendre une pause-détente dans un endroit très spécial, peuplé de dizaines de minous qui ne demandent qu'à se faire câliner entre un café et une tranche de gâteau ! Les chats sont chez eux, au Japon !

LES PETITS PAINS SUCRÉS
DU GENTIL BONHOMME ANPAN

Les anpan sont de délicieux petits pains sucrés fourrés à la confiture de fèves de soja (ou de haricots rouges). Leur histoire est très particulière. Vers la fin du XIXᵉ siècle naissait le Japon moderne, et il n'y avait plus de place pour les samouraïs dans la société, tandis que les traditions millénaires étaient de plus en plus menacées par l'arrivée des nouveaux usages occidentaux. Le samouraï **Yasubei Kimura**, qui cherchait une nouvelle occupation, décida de réunir la tradition occidentale du pain et les ingrédients typiques de la cuisine japonaise : la levure *sakadané* et les fèves de soja. Ainsi naquirent les *anpan* !

M. NAKAMURA S'EST GAVÉ DE ANPAN ET, UNE FOIS DE PLUS, DOIT RECONNAÎTRE QUE LA RENCONTRE DE DEUX CULTURES DIFFÉRENTES PEUT APPORTER BEAUCOUP DE BONNES CHOSES !

Les anpan rencontrent un tel succès auprès des enfants qu'en 1968 un écrivain, **Takashi Yanase**, inventa un personnage à partir de ces délicieux petits pains ! Le héros des histoires de Yanase s'appelle **Anpanman** (Bonhomme Anpan) et il se bat avec ses amis pour la défense de la terre. Sa particularité est d'avoir justement une tête faite en anpan !

DEMANDEZ L'AIDE D'UN ADULTE POUR RÉALISER CETTE RECETTE !

INGRÉDIENTS POUR 12 ANPAN :

300 g de farine ; 2 cuillerées de levure en poudre ; 40 g de sucre ; un œuf ; 17,5 cl d'eau ; une petite cuillerée de sel ; 45 g de beurre ; 330 g de confiture de fèves de soja ou de haricots rouges, ou encore d'un fruit au choix ; caramel en sirop (pour la décoration).

PRÉPARATION : mélangez la farine, la levure, le sucre, la moitié de l'œuf puis l'eau ; ajoutez le sel ; ajoutez petit à petit le beurre et pétrissez la pâte pendant 15 minutes environ. Laissez-la reposer jusqu'à ce qu'elle devienne souple et moelleuse, puis divisez-la en 12 boules. Au bout de 10 minutes, aplatissez 11 des boules pour obtenir un disque fin et laissez de côté la dernière boule. Posez un peu de confiture au milieu de chaque disque puis repliez les bords vers le centre. Prenez la dernière boule de pâte et divisez-la en boulettes : il vous en faudra 3 par petit pain, qui seront le nez et les joues de votre personnage, comme sur la figure ! Laissez reposer vos petits pains ainsi décorés pendant 40 minutes. Chauffez le four à 200 °C. Quand les anpan sont bien dorés, c'est qu'ils sont cuits. À l'aide du caramel liquide, dessinez les yeux et la bouche de vos personnages : et voilà le Bonhomme Anpan ! Mais attention : laissez refroidir les petits pains avant de les manger, car la confiture à l'intérieur peut être brûlante !

Les conseils de beauté de Colette

Les thermes, qu'on appelle au Japon des *onsen*, ont été une révélation pour moi. Comme ce serait bien d'y aller tous les jours ! Mais un bon bain chaud riche en sels minéraux peut aussi aider à se détendre et à se sentir mieux. Suivez mes conseils et vous découvrirez à votre tour les délices d'un petit bain de beauté pour vous seule !

⭐ La température de l'eau ne doit jamais être trop élevée, pour ne pas faire baisser votre tension. Afin de favoriser une bonne circulation du sang, pensez à vous rincer rapidement à l'eau froide avant de sortir du bain.

⭐ La mousse des savons liquides dilués dans l'eau peut être très irritante ou dessécher la peau : n'oubliez pas de la rincer soigneusement !

⭐ Profitez de votre bain pour faire un masque de beauté sur le visage ou un traitement nourrissant pour les cheveux : la sensation de détente, jointe aux vapeurs d'eau, en redoublera les effets !

Des diamants... de sel !

J'ai découvert au Japon un véritable trésor : un sachet de sels de bain ! Ces petits grains de sel contiennent tous les principes des

eaux thermales japonaises, et il suffit de les dissoudre dans l'eau pour se sentir comme dans un onsen !

UN KIMONO POUR CHAQUE SAISON

Les motifs décoratifs des kimonos sont infinis et varient selon la saison. Ils représentent souvent des éléments naturels comme des fleurs, des feuilles, des fruits ou des animaux, pour suggérer l'harmonie avec la nature.

Chacun de nous, cependant, a sa façon personnelle de vivre cette harmonie avec ce qui l'environne : choisis le kimono que tu préfères parmi ceux que portent ici les Téa Sisters et tu en apprendras beaucoup sur toi-même !

La réponse se trouve à la page suivante.

HARMONIE DE LA LUMIÈRE

Tu es toujours en mouvement et tu sais retrouver la paix et l'harmonie au milieu des éléments les plus déchaînés de la nature.
Le vent fort et les grandes marées ne te font pas peur, ils te donnent même encore plus envie d'agir !

HARMONIE DES FORÊTS

Le silence des bois et le froissement des feuilles : voilà les éléments qui te font te sentir en harmonie avec la nature ! Tu aimes réfléchir avant d'agir, mais quand il le faut, c'est toi qui trouves la solution !

HARMONIE DES OCÉANS

La mer est aussi profonde que tes pensées, et en toi se cachent des trésors infinis qu'il faut aller découvrir ! Mais tu sais toujours trouver la meilleure façon de les partager avec tes amis !

Harmonie des fleurs

Les sentiments ont toujours la première place chez toi ! Devant un coucher de soleil flamboyant, tu sais écouter ton cœur et le laisser s'emplir de bonheur !

Harmonie des fruits

Tu aimes la vie et tu aimes goûter ses mille saveurs : douce, salée, et parfois un peu acide ! Une nouvelle saveur, une couleur vive… et te voilà en paix avec le monde !

JEU

KUMI ! KUMI ! KUMI !

Passionnée des traditions japonaises, étudiante modèle, jeune fille à la mode : Kumi est tout cela à la fois, mais voici que les images ont été mélangées ! Quelle catastrophe !

Aide Kumi à remettre ensemble ses différentes parties : retrouve les trois morceaux qui composent chaque image, en associant chaque lettre à un chiffre et à un symbole !

La solution est à la page 215.

7	3	9	1	2	4	5	6	8
6	1	5	8	7	9	3	2	4
8	4	2	5	6	3	1	7	9
4	7	3	9	5	2	8	1	6
5	6	8	4	1	7	9	3	2
2	9	1	6	3	8	4	5	7
3	8	7	2	9	5	6	4	1
9	5	6	7	4	1	2	8	3
1	2	4	3	8	6	7	9	5

Solutions !

VOICI ENFIN
LES PARTIES SÉPARÉES
DE KUMI RÉUNIES !

Solutions !

TABLE DES MATIÈRES

Téa Stilton

DANS LA MÊME COLLECTION

Et aussi...

Hors-série
Le Prince de l'Atlantide

ÎLE
DES BALEINES

L'île des Baleines

1. Pic du Faucon
2. Observatoire astronomique
3. Mont Ébouleux
4. Installations photovoltaïques pour l'énergie solaire
5. Plaine du Bouc
6. Pointe Ventue
7. Plage des Tortues
8. Plage Plageuse
9. Collège de Raxford
10. Rivière Bernicle
11. *L'Antique Cancoillotterie,* restaurant et siège des *Messageries Ratiques – Transports maritimes*
12. Port
13. Maison des Calamars
14. *Zanzibazar*
15. Baie des Papillons
16. Pointe de la Moule
17. Rocher du Phare
18. Rochers du Cormoran
19. Forêt des Rossignols
20. Villa Marée, laboratoire de biologie marine
21. Forêt des Faucons
22. Grotte du Vent
23. Grotte du Phoque
24. Récif des Mouettes
25. Plage des Ânons

Au revoir,
à la prochaine aventure !